ENSAYOS LITERARIOS

DULCE MARÍA LOYNAZ

ENSAYOS LITERARIOS

EDICIONES UNIVERSIDAD DE SALAMANCA

BIBLIOTECA DE AMERICA, 3

©
Ediciones Universidad de Salamanca
Dulce María Loynaz
1ª edición: mayo 1993
I.S.B.N. 84-7481-749-8
Depósito Legal: S. 310-1993

©
Motivo de la cubierta:
René Magritte, *La condición humana*
(1935), óleo sobre lienzo, 100 x 81 cms.
Ginebra, Colección Simon Spierer

Impreso en España-Printed in Spain
Europa Artes Gráficas, S.A.
C/ Sánchez Llevot, 1
Teléf.: (923) 22 22 50
Fax: 22 22 61
E-37005 Salamanca (España)

♠

CEP. Servicio de Bibliotecas

LOYNAZ, Dulce María

Ensayos literarios. – Salamanca : Universidad, 1993
1. Poesía cubana–S. XIX-XX–Historia y crítica
2. Escritores cubanos–S.XIX-XX
860(729.1)–14.09"18/19"
929:860(729.1)"18/19"

INDICE

INFLUENCIA DE LOS POETAS CUBANOS EN EL MODERNISMO

> Buena lengua nos dio España, pero nos
> parece que no puede quejarse de que se
> la hayamos maltratado.
>
> José Martí

CONVIENE DESDE EL COMIENZO dejar sentado que este ensayo sobre los escritores llamados modernistas se concretará a la poesía lírica, y no traspasará las playas de América o, por mejor decir, de una porción de América. Tampoco ha de apartarse de la etapa inicial del Modernismo, ya que la índole del tema así lo exige. Si he de tratar del influjo que los bardos cubanos ejercieron en esta magna revolución de las Letras, debo tener siempre a la vista sus límites precisos; y lo cierto es que ellos sólo tocan al período de gesta. Por extrañas razones, el árbol se extingue en la propia tierra cuando empezaba a dar su fruto en las demás. Siendo ello así, resulta, sin embargo, tan interesante y decisivo el aporte de nuestros líricos, y al mismo tiempo tan poco estudiado por los investigadores de la reforma modernista, que en cualquier momento podría estimarse obra útil ponerlo de relieve.

Como se sabe, casi todos los estudiosos están de acuerdo en que esta escuela o movimiento –cuestión también muy debatida, en la que no vamos a entrar– tuvo por sus legítimos ascendientes a los finos poetas franceses, que reaccionaron de diversas maneras contra el romanticismo imperante en el pasado siglo, muy particularmente los parnasianos y los simbolistas. Hay quienes extienden a otros países del continente la zona de su influencia; pero, de todos modos, en Europa se centra el origen del Modernismo y su formación en una veintena de años, más o menos los últimos del siglo XIX. Todo esto es, claro está, materia objetable; pero el caso es que, circunscrita como se ve su órbita en lo que hace a tiempo y espacio, en límites muy concretos, no es raro, pues, que tanto eruditos como profanos que hayan alguna vez vuelto sus ojos sobre estas cosas, se asombren de que el Pontífice de la gran reforma no sea un poeta de Europa, sino un poeta de América.

Un hecho tan significativo por sí solo, debería llevarlos a un estudio más detenido de la poesía de América contemporánea y hasta anterior a Rubén Darío. Debería llevarlos, pero no los lleva. Siguen escarbando en la misma tierra, descubriéndole abuelos y bisabuelos europeos al bardo, sin ir derechamente a lo inmediato, a las circunstancias que, aun cuando les fuera negada toda posible facultad creadora –que ya es conceder...–, fueron, sin duda, las que estaban presentes y lo acompañaron hasta el momento en que se revela como el primer poeta de su época. Esto acontece, según criterio unánime, con la publicación de sus libros *Azul...* y *Prosas profanas*. Sin saber por cuál decidirse, a pesar de la diferencia de fechas y aun calidades entre ambos, ellos dos se han elegido por todos los tratadistas a manera de hitos para marcar los puntos decisivos que deja al arrancar la enorme trayectoria de su obra. A ellos, pues, habremos de atenernos. No era Rubén Darío el único, por cierto, que ya había sobresalido en el hemisferio por sus conceptos revolucionarios. Mucho antes que él –antes que todos acá y allá– estaban un poeta de bruma, Edgar Allan Poe; y un poeta de granito, Walt Whitman, que el mismo Darío admiraba tanto. Estaban Olavo de Bilac, el suntuoso brasileño de quien se habla tan poco, autor de poemas exquisitos y, al mismo tiempo, inusitados, como «La reina de Saba» y «Los bandeirantes». Pero, sin salirnos de la América de habla española, no hay que olvidarse de los llamados precursores: José Asunción Silva, en Colombia, arrancando a la lengua las más extrañas melodías; en Méjico, Gutiérrez Nájera y Díaz Mirón, mayores en años, antípodas entre sí, buscando la verdad única por distintos caminos. Se podrían añadir otros nombres, pero no es necesario hacerlo. De todos modos, por una causa u otra, fue Darío quien llegó a la meta o, por lo menos, quien llegó el primero. Es el realizador, el que lleva a cabo la proeza de desentumecer los sordos oídos del Olimpo y ganar para su tierra un laurel más hermoso que los laureles guerreros, teñidos siempre en sangre.

A él, pues, hay que volverse a cada instante, empezando por sus dos libros, las piedras angulares donde habrá de asentarse el nuevo Credo. *Azul...,* como es sabido, se publica en 1888, y *Prosas profanas,* en 1896. Para esta última fecha, Rubén Darío andaba ya por la treintena, y había nacido y vivido *siempre* en tierras americanas. Después de *Azul...* aún tendrían que transcurrir cuatro años para que hiciera su primer viaje al Viejo Mundo –un viaje de sólo cuatro meses a España–, y aún tardaría un lustro en trasladarse a Europa con más carácter ya de estancia y convivencia[1]. Sabemos que leyó mucho, al igual que la mayoría de los jóvenes de su generación, y leer entonces significaba, o al menos ha significado así para sus biógrafos, leer libros franceses, españoles y alemanes. Tener en cuenta sólo estos libros, y olvidarse del elemento humano, del calor vivo y presente que arropara su cuna y su espíritu mientras se le iba agigantando, resulta, por de pronto, una falta de método, una ligereza.

Durante más de treinta años, ese elemento humano, esa presencia viva, están en América; en América, pues, hay que estudiarlas. Hay que enterarse, pero no al vuelo, sino con verdadero ánimo de investigación, del ambiente en que el poeta se desarrolló en todo este tiempo, de los amigos que trató, de los paisajes y las cosas y las gentes que lo rodearon; en una palabra, del mundo que fue suyo, un mundo real y tangible, al cual hay que conceder, por lo menos, tanta beligerancia como al etéreo mundo de sus sueños. ¿Pero es que fue ajeno alguna vez ese mundo exterior al interior? En modo alguno; se hace en verdad difícil situar entre ambos la frontera. Este poeta no podía vivir sino en *poeta;* y, a semejanza del rey Midas, trocaba en dulce oro de poesía cosa tocada por sus dedos. Por otra parte, él iba instintivamente a la poesía, de suerte que, aun antes de tocarla, ya la poesía era, ya estaba allí. A ésa, a la poesía que ya estaba allí, voy a ceñirme; hemos llegado al punto en que debemos detenernos e inquirir qué es lo que sucedía con los poetas de nuestra América, que fue justamente uno de ellos el elegido para la misión que habría de cambiar los destinos de la poesía del mundo.

---

1. El primer viaje de Rubén Darío a Europa fue en 1892, y el segundo a finales de 1893, ocasión en que pasó por París. El tercer viaje fue al comenzar 1899, desde Buenos Aires, y esta vez se quedó a vivir en Europa como corresponsal del periódico *La Nación.*

Creo que jamás, desde el llamado Siglo de Oro, experimentaron las letras universales una revolución tan trascendente. Ni aun el Romanticismo, que dura casi un siglo y cambia tantas cosas, removió, arrasó y construyó con tal radicalidad.

De entonces a nuestros días me atrevería a decir que casi no se ha escrito en lengua castellana, y aun en las extranjeras, cosa genuinamente bella que no se deba a aquella levadura que puso en la tierra el Modernismo. Y eso que los sabios lo consideran liquidado al terminar la primera guerra mundial. El Modernismo no trazó caminos, sino ensanchó horizontes. No dijo al que tenía su auténtico mensaje: «Ven por este camino...», sino: «Ven por todos los caminos. Todos son tuyos si los sabes andar con planta firme y corazón honrado. Para quien anda así, y tiene, además, su ofrenda que traer, todos los caminos llevan a la belleza». Lo dijo y lo hizo. En realidad, el mundo entero quedó hecho un inmenso camino, que recorrió a su hora la inquietud de varias generaciones, aquellas sobre cuyas cabezas se cernía ya la sombra de la catástrofe. Por tanto, señoras y señores, véase qué importancia tiene conocer las condiciones en que pudo esto producirse. Intentar ese conocimiento es la tarea, a juicio mío, insoslayable –y, a pesar de eso, bastante soslayada– que me he impuesto en estas sencillas páginas, escritas con más aliento que pulmones. Hasta ahora, ellas no han hecho más que proceder al replanteo de la cuestión; pero era necesario hacerlo para estrecharle el cerco a la Verdad, que tiene, como la Fortuna, cuerpo resbaladizo.

Transcurría el último tercio del siglo XIX; a la fiebre del Romanticismo había sucedido una profunda laxitud, de la cual, aquí y allá, iban saliendo algunos lentamente, con esa desgana propia de los períodos de convalecencia, en que los más suculentos manjares son apenas tomados con mano lánguida y remisa. América seguía siendo la *terra ignota* de los mapas antiguos; no hay que alarmarse. Tengo para mí que lo sigue siendo todavía. Pero el misterio que la envuelve no mengua en nada su hermosura, y sólo la impide salir con profusión de láminas y citas en las Enciclopedias ilustradas. Si esto no hubiera sido así, las gentes de Letras se habrían enterado de que por tierras americanas, hacia el año 1881 ó 1882, un joven recién casado había escrito para el hijo que le acababa de nacer un librito pequeño; un librito pequeño que se llamaba *Ismaelillo*. Era aquel mundo finisecular muy apegado a las cosas del espíritu. Escribir un libro entonces no era como ahora. Ni, como ahora, tampoco todo el mundo escribía libros. Había un instintivo, un natural respeto por la letra impresa, que no se estampaba ni se leía sin revestirse de dignidad.

Aun tratándose de libros de versos –tan venidos a menos, ¡ay!, en nuestros días–, aunque ya no entusiasmaran sus reiteraciones o no convencieran sus novedades, su aparición era debidamente registrada, no obstante el estado de fatiga en que el espoleo de la hipérbole había sumido al buen gusto.

Así, pues, publicaciones literarias de mucho menos importancia que aquel *Ismaelillo* americano fueron en la grande Europa, por aquella época, para bien o para mal, tenidas en cuenta. No aconteció lo mismo con aquel a modo de breviario del joven padre; el libro, que sólo se escribió para un niño, para un niño sólo se quedó. Fue entonces, y continúa siendo, tan desconocido que casi no me asombra ya ver cuántos autores de amplios tratados sobre el Modernismo lo ignoran en absoluto. Repito que es un libro pequeño. También es pequeño el grano de radio, que lleva consigo, como el bello decir de las Letanías, la salud de los enfermos. Pequeños son casi siempre los resortes que mueven los mecanismos más complicados: la fuerza en la rueda, el vapor en la caldera, la electricidad en la pila. Pequeña es la amiba en la gota de agua y la muerte en la cápsula de plomo.

¿Qué era, pues, lo que aparecía en la pequeñez de ese *Ismaelillo*? Pues casi nada y casi todo. Cada vez que lo hojeo, me convenzo de que ahí está apretada, concentrada, viva como en su cáliz la rosa antes de nacer, toda la esencia del Modernismo. A hojearlo vamos ahora, no propiamente a hacer su exégesis. Para hablar de este pequeño libro, sería hoy necesario escribir otro gran libro. Y no porque él mismo sea –hay que decirlo al paso– una obra maestra, sino por el material que está proporcionando, al que sepa hallarlo, para muchas obras maestras. Descúbrese una insospechada variedad de recursos dentro de su aparente monotonía. Y ahora viene lo más importante: da la casualidad que estos recursos son los mismos que esgrimirá más tarde el Modernismo, y con los que ganará su batalla. Vamos a verlo enseguida.

El título del libro es ya de una fragante sugerencia: *Ismaelillo...* *¿Ismaelillo?* ¿Por qué? Sabemos que Ismael es el hijo de un patriarca y de una esclava. La desgracia de la madre pesará en él más que la paterna grandeza; pero, de todos modos, su prosapia es la de los fundadores de pueblos... También él lo será algún día, aunque el grito de Agar nadie lo escuche en el desierto. De ese grito nace este hijo callado, silenciado, enjuto... Pero si no hubiera sido por Isaac, de él hubiera partido el linaje del Cristianismo. ¿Dijo Abraham a su Ismael algo parecido a esto?

Mas si amar piensas
el amarillo,
Rey de los hombres,
¡muere conmigo!
¿Vivir impuro?
¡No vivas, hijo!

El tiempo es todavía amanecer, y ya pasa una sombra de tramonto, un presentimiento del becerro de oro, del Baal de todos los tiempos acechando a lo lejos... Es entonces cuando Ismael se convierte en Isaac por el sacrificio que le impone el padre. Sacrificio que sólo hay derecho a exigir a un hijo legítimo y sólo en nombre del verdadero Dios.

¿Vivir impuro?
¡No vivas, hijo!

Esto es sutil, pero, en el fondo, simple. Simple y conmovedor. Y aún más teniendo en cuenta que el conjuro se dirige a quien es todavía una tierna criatura, un hijo tan amado...

Se me dirá acaso que el sentimiento no es nuevo... Pero, ¿cuándo lo han sido los sentimientos? Desde que el hombre es hombre, ¿no está sintiendo, más o menos, las mismas cosas? Sólo en la expresión caben descubrimientos, y, aun así, ¡cuán difícil lograrlos!... Para decir lo que dice el padre de *Ismaelillo*, un poeta de entonces hubiera necesitado una página entera de transporte lírico, épico, bíblico, un desbordamiento de patetismo y de elocuencia... Martí lo dice con tres palabras: «¡No vivas, hijo!». Esto es también Modernismo. Síntesis, concisión, esencia pura. Modernismo igualmente, aunque de muy distinta naturaleza, las innovaciones métricas, y entre ellas, una de las más sonadas, el verso de doce, llamado de seguidilla. A pesar de que sobre este punto yo mantengo las dudas que diré más adelante, hay, sin embargo, una cosa cierta, y es que ya José Martí utiliza en su libro el mismo ritmo en forma de dos versos, o sea haciendo corresponder al primer verso el hemistiquio de siete, y al segundo, el hemistiquio de cinco:

A mis ojos, los antros
son nidos de ángeles.

Otra de las características del Modernismo es, sin duda alguna, la radical renovación de la imagen, renovación que va más allá de la imagen misma, esto es, hasta a la manera de usarla. Desde que el movimiento se inicia, el poeta entra directamente en la imagen;

no se la pone a modo de pantalla, sino que se incorpora a su sustancia. El rostro y el espejo se vuelven uno solo, como si le fuera dable penetrar el cristal y fundirse dentro con el propio reflejo. Quedan casi relegados los vehículos, el «cómo» y, sobre todo, aquel «cuál», que era la delicia de los vates antiguos. Antes que el coche de caballos, empiezan ellos a caer en desuso, pues desde que el escritor vuela por sí mismo hacia la luz de su inspiración y su aspiración, no necesita ya de medios de transporte. Pero, además, ¡qué luces las que permiten el vuelo! Luces nuevas para el ojo humano, que sólo conocía el gas en las arañas aderezadas de lágrimas y flores de vidrio... Luz de astro sin nombre todavía, asoma ya de aquellos versos paternales:

> *¡Hete aquí, hueso pálido,*
> *vivo y durable!*
> *¡Hijo soy de mi hijo!*
> *¡Él me rehace!*

Imposible ya desentrañar el sujeto de su imagen, tanto ha entrado uno en la sustancia del otro. En realidad, ya no hay imagen, sino sustancia viva. Por sublimarse tanto queda abolida la metáfora. Y, por otra parte, ¡qué difícil hallar una más cabal expresión del amor engendrado, capaz por sí solo de redimir la perecedera condición humana! El poeta no es más que un hueso pálido; pero el padre vivirá todavía por encima de la propia muerte, y entonces ya no es el padre, sino el hijo de su hijo... ¡Cuánta altivez y rendimiento unidos en esta certidumbre de la perennidad! Modalidad del Modernismo es también la introducción de vocablos, no diría yo que nuevos, pero sí audaces. Es condición de hacerlo que, sin perder el sentido original, ese vocablo adquiera otros distintos por la simple distensión o contracción de las sílabas, o por darle, cuando no la tiene, flexibilidad de verbo a un nombre, o de participio activo a uno pasivo, o viceversa. Frecuentemente, el vocablo trasplantado conlleva una característica gracia eufónica, expresiva también de ese sentido. Así, las palabras alígero, humildoso, undívagos, vagarosos.

Algo parecido vislumbró el gran Góngora en sus arranques geniales. Y resulta cosa muy curiosa que muchos escritores de hoy, que desdeñan el Modernismo, se tienen —y lo son— por gongorinos. Sólo que Góngora hizo algo más que violencia en la sintaxis, y los modernistas no robaron el fuego de los dioses sólo para encender pirotecnias artificiales con las palabras. Pues bien: volviendo a aquel ramillete de poemas silvestres que estábamos contemplando, hallamos asimismo un muy bonito ejemplo de la misma técnica cuando el poeta exclama, siempre con ese acierto de captación y síntesis:

¡De virtud mercaderes,
mercadearme!

Hora es ya de que cierre el libro encantador, hora de que me sustraiga a su hechizo... Pero creo que no necesito estar hechizada para pensar que la crítica contemporánea, que vibró de asombro ante la aparición de *Azul...* y *Prosas profanas,* no se hubiera asombrado tanto de haber conocido ya este poemario para un niño, publicado muchos años antes. La crítica, y sobre todo la crítica europea, no lo conocía; pero, seguramente, Rubén Darío lo conoció muy bien. Tal vez no al momento de su publicación, pues sólo tenía él catorce años; pero sí antes de 1888 y, desde luego, en 1896. También lo conocía José Asunción Silva, el gran poeta colombiano, considerado por todos los tratadistas como uno de los dos o tres fundadores del Modernismo. Encontré este dato curiosísimo en la descripción que de su primer encuentro con el poeta y su hermana Elvira hace Max Grillo. Nos cuenta, sin intención alguna, el entonces joven estudiante, que vio el libro de Martí en el escritorio de Silva. «Guardado como una joya en estuche precioso», dice textualmente. No hay que extrañarse de ello. La poesía circulaba por aquellos tiempos, a pesar de que los medios de locomoción eran más lentos. También la gente era más cortés; se atendía al prójimo, se contestaban las cartas. Y la legión de poetas la formaban generalmente soñadores sin más quehacer que el de soñar. Mantener entre sí copiosa corriente epistolar, intercambiando versos, libros, revistas y hasta retratos, era una condición de serlo. Acaso porque las reducían a menos estaban mejor enterados que nosotros de lo que sucedía en el campo de sus actividades. Y en América puede decirse que el que no conspiraba hacía versos. O hacía las dos cosas a la vez sin perjuicio de ninguna.

Esto, que dicho así se arriesga a parecer una humorada, es, sin embargo, rigurosamente cierto. Nada menos que el mismo José Martí pudiera ilustrar un ejemplo. Sólo que él no fue jamás un hombre desocupado; mas como su tiempo era una maravilla, le alcanzaba también para contestar la correspondencia. Tiempo y mano maestra tuvo para contestarla: fue un maravilloso escritor de cartas, que las prodigaba a todos los hombres notables y hasta no muy notables de su América. Él mismo era un mensaje vivo, no sólo por la hermosura de su palabra, sino también por su persona física, por su fino nervioso cuerpo, constantemente trasladado de un lugar a otro. Y no ha habido hombre como él para hacer amigos. El que lo viera una vez, no lo olvidaba ya aunque viviera cien años. Y esto no lo digo yo, lo dice el propio Rubén Darío en una página que le dedica al maestro cubano en su autobiografía. Y conste que olvidadizo por excelencia era el bardo. A los efectos de la tesis que estamos desarrollando, conviene mantener en la memoria esta personalidad de José Martí. El poeta sólo lo vio en dos o tres ocasiones; pero se le quedó siempre en el pensamiento. Es una de las personas de quien más habla en esos apuntes autobiográficos, bastante deshilvanados por cierto, y uno de los tres grandes hombres americanos que cita en su libro *Los raros*. Y no hay que olvidar que es precisamente este libro el que él escribe para proclamar ante el mundo la realidad de su gran labor, la ya cuajada flor del Modernismo.

Hemos dicho que Rubén Darío vio pocas veces a aquel cubano pálido y ardiente que fuera a recibirlo a Nueva York. Pero la obra del cubano la vio mucho más de lo que dicen sus biógrafos, pues no se explica de otro modo la gran pena, el sincero y casi rencoroso sentimiento que le hace estampar frases verdaderamente duras para la tierra que se atrevió a merecer el sacrificio de tal hijo... En el brillante artículo que le dedica a raíz de su muerte, llega a afirmar también, con una convicción muy centroeuropea, que si alguna vez el genio se ha dado por tierras de América, hay que pensar que fue en José Martí. Digo estas cosas porque creo que deben esclarecerse a la hora de formar juicio. Líbrenme los dioses de pretender con ellas atribuir la gloria rubeniana al Apóstol de las Antillas, que, por otro lado, tampoco la necesita, porque tuvo la suya. Rubén Darío es único. De modo que no insinúo siquiera que la obra de ambos guarde algún notable parecido.

Pero sí me extraño de que los críticos sesudos europeos y aun muchos de nuestro hemisferio, nos vengan durante años repitiendo el sonsonete de nombres tan revueltos como Gautier, Verlaine, D'Annunzio, Verhaeren, en su afán de explicar la obra de Darío, y no hayan todavía reparado en el importante antecedente de este cubano, al par modesto como grande, que tienen sin ver delante de los ojos. Debe ser que los críticos tienen miedo –y con razón– de los nombres nuevos. José Martí aún es un nombre nuevo para ellos, y su misma personalidad principal, su condición de Apóstol de las libertades patrias, ha apagado toda otra dentro de su fulgor. Hoy me es grato reconocer que fue en tierra española, allá por el año 1925, donde yo vi por vez primera expuesto en el escaparate de una librería un tomo de las poesías de Martí. Porque no son las del *Ismaelillo* las únicas que hizo, según sabemos todos. Hay otras, como aquellos *Versos libres,* tan gratos a vuestro Unamuno; hay muchas, a cuál más sugestiva e intuitiva, que nada más citarlas brevemente haría este estudio asaz largo. Y si es el *Ismaelillo* el que yo elegí, se debe a que, por varias razones, no todas dichas, hay que considerarlo decisivo en su tiempo y en su espacio.

Tampoco es sólo José Martí el cubano que puede figurar al lado del bardo nicaragüense en la magna gesta del Modernismo. Con él tenemos que recordar también a Julián del Casal, ya clasificado en nuestra América como un iniciador del movimiento modernista. Sin embargo, ni aun los que le tienen por tal han estudiado bastante la verdadera naturaleza de su aporte. Este poeta será siempre un misterio; pero una de las cosas que se sabe es que murió prematuramente sin llegar a realizar una obra que hubiera sido algo muy grande en el reino de las Letras. Julián del Casal, muerto a los treinta años, nace en 1863, diez años después que José Martí y cuatro antes que Rubén Darío. No se parece a ninguno de los dos, y casi cabe decir que les fue diametralmente opuesto. Casal tenía también su propia personalidad y no imitaba a nadie, aunque compartía con Rubén el gusto por la poesía francesa. No con José Martí, que no se derritió nunca ante ningún exotismo.

Ese gusto y la capacidad creadora es lo único que los une. La capacidad de forjar con hierro mohoso, con chatarra sin destino, las más nuevas, extrañas y complicadas filigranas. Filigranas en el aspecto; en la consistencia, fuerte estructura, como para sustentar un edificio. Poniendo el uno a contraluz del otro –y así parece que estuvieron en la vida–, no vemos más sino que Rubén Darío, después poeta de fama universal, conoció en su isla, de paso para España, a otro poeta tampoco entonces muy brillante, fallecido al año siguiente sin alcanzar la gloria que correspondió al primero.

Pero bien: ¿qué cosa era la que habían hecho ambos poetas hasta esa fecha de su encuentro? Pues antes de ese suceso ya se había publicado *Azul...;* no así *Prosas profanas,* que viene a serlo tres años más tarde. Pese a la publicación de *Azul...,* Rubén Darío tenía a los veinticinco años una obra exuberante pero exenta de aquellas singularidades inauditas que la caracterizaron después; en ello, todas las opiniones están conformes, y si al mismo bardo, cuya sensibilidad era exquisita, le hubieran dicho, andando los años, ya en la cumbre de la fama, que un día le iban a resucitar, en la edición de sus obras completas, la mayoría de sus versos de esa época, los hubiera rechazado con espanto, como terroríficos fantasmas, para su agobio aparecidos cuando él los dio por muertos. A cambio, Julián del Casal, que no tuvo tiempo de hacer nada mejor que lo que hizo, era ya un escritor original, personalísimo en aquel medio. Su primer libro ve la luz en 1890; pero hay razones para pensar que el poeta, muy pobre, no pudo editarlo antes, a pesar de pertenecer la mayoría de los poemas allí impresos a una producción muy anterior a esa fecha. Así lo reconocen algunos críticos, basados en los relatos de personas todavía vivas que frecuentaron el trato de su autor. De todos modos, tanto este libro como los otros dos que llega a escribir son anteriores a *Prosas profanas.*

No encierra *Hojas al viento* la energía liberadora, el potencial del *Ismaelillo;* pero, sin duda, estamos ya frente a un libro distinto. La personalidad que en él se dibuja se hace seguidamente nítida en *Nieve* y vigorosa en *Bustos y rimas,* que es ya libro póstumo. Darío se olvida de Casal y Casal no se olvida de Darío. Son cosas de la memoria más que del corazón. «Con las glorias se olvidan las memorias», dice el refrán español. De todos modos, la gran gloria de Rubén sobreviene después, años después de la muerte de Julián, ocurrida en 1893. Es muy interesante anotar ahora que el *Coloquio de los centauros,* arquetipo de la poesía rubeniana, no se escribió, como creen muchos, hacia el año 90, sino bastante posteriormente, o sea, cuando el poeta estaba ya en Buenos Aires, alrededor del 96. El error viene de la poesía «Palimpsesto», que se llamó primero «Los centauros», y a la que el poeta le cambió el nombre al escribir su famoso «Coloquio...», precisamente en evitación de confusiones. Pero es que, aun el «Palimpsesto» o «Coloquio de los centauros» –muy avanzada ya en su forma ella también–, tampoco debe haberse escrito en 1890, según creen haber descubierto los críticos, sino en 1892, cuando es ya indiscutible el conocimiento por Darío de la obra de Casal.

En efecto, este «Palimpsesto», con el nombre de «Los centauros», se publica por vez primera en la *Revista de Costa Rica,* en el año 1892, y después en *El Fígaro,* de La Habana, en el mismo año, con una dedicatoria a Raúl Cay, hermano de María, precisamente la única mujer amada por Julián del Casal. Véase qué ligado andaba ya todo y cómo por la madeja va saliendo el ovillo.

No es probable que Darío mantuviera escondida una composición más de dos años, ni fácil imputar a su buen gusto la dedicación a un prestigioso hombre de mundo, muy conocido y conocedor de la literatura ambiente, de un poema ya fiambre. Desde luego, en el *Archivo de Rubén Darío,* publicado por Alberto Ghiraldo después de su muerte, no aparece correspondencia alguna con Julián del Casal. Tampoco aparece con José Martí. Pero ello no significa nada, porque este *Archivo* comprende casi exclusivamente la correspondencia del poeta habida en años muy posteriores a la muerte de los dos cubanos, acaecida casi al mismo tiempo, por lo cual mal podía figurar en esta parcial recopilación, cualquiera que entre ellos hubiera existido.

La razón de no haber incluido Ghiraldo la correspondencia anterior se debe, sencillamente, a que no pudo hacerlo. Hay que tener en cuenta la vida del bardo, eterno viajero, enfermo de inquietud, que a pesar de estar casado dos veces no conoció hogar sino ya bien entrado en la madurez de la vida, pues la primera esposa se la arrebata la muerte al año escaso de matrimonio, y la segunda la repudia, por razones no del todo aclaradas, el mismo día de la boda. Careció, pues, de esa humilde y preciosa asistencia que pone orden en la vida de los poetas, generalmente en la vida de todos los hombres geniales. La asistencia de la compañera; no la eventual compañera de un día, sino la de todos los días, la única digna de este nombre. Así, la avilesa Francisca Sánchez, que no fue nunca su esposa, fue, sin embargo, la compañera que recogió los preciosos papeles del poeta, bien que para ella no tenían más valor que el de haberle pertenecido. Existen contradictorias versiones respecto a la compañía que ofreció esa mujer tosca y sensible al mismo tiempo, a quien Darío enseñó a leer. De todos modos, gracias a ella tenemos hoy mucho caudal que de otro modo se hubiera perdido como el resto. Pero Francisca Sánchez guardó lo que encontró, no pudo hacer más, e hizo bastante.

Ella es la que suministra a Alberto Ghiraldo las cartas que aparecen en el *Archivo*. Esta obra, muy interesante por cierto, resulta, a pesar de ello, por las razones dichas, una obra incompleta. Poco o nada puede aportar para un juicio sobre la formación del gran poeta, ya hecho y consagrado en la época a que esos documentos se refieren. Debe, pues, mirarse con recelo, pues a veces sucede con las recopilaciones precarias —y no por selección, sino por imposición de las circunstancias— como con esa hora peculiar del crepúsculo, en que se ve mejor sin ayudarse de la luz prestada cuando ésta viene insuficiente. Pero si no aparece correspondencia epistolar entre ambos poetas, otras correspondencias resaltan entre ellos, por lo mismo que tan distintos eran sus temperamentos.

Es innegable que anduvieron los dos muy pagados de lo exótico y de lo suntuoso. Siempre muy pulcros, muy preocupados por la forma. Les encantaba, como a casi todos los modernistas, inventar o resucitar nuevos ritmos y rimas; pero, haciéndolo discretamente el uno y eufóricamente el otro, jamás se acercaron a los linderos del mal gusto, demasiado frecuentemente transpuestos por otros vates de la misma escuela. Así, ambos han cultivado con rara maestría la seguidilla y con sin igual elegancia el eneasílabo. El eneasílabo es verso duro e ingrato, puesto a un lado por los poetas hasta que ellos lo sacan de la sombra. Justo es decir que Darío, más hábil versificador que Casal, arrancó a esta cuerda sonidos insospechados. Fue el gran domador del eneasílabo. En este metro están los famosos versos del «Clavicordio de la abuela», dedicados al bardo cubano, aunque así no aparezca en los libros que se editaron después.

Pero Casal logra también efectos muy curiosos al emplear la misma métrica no caprichosamente, sino como medio casi onomatopéyico de expresar el ambiente de la poesía; así, por ejemplo, en «Tardes de lluvia», donde se propone reproducir el tableteo del agua en los cristales con estos recursos eufónicos. En lo que hace al terceto monorrimo, es indudable que los famosos del «Faisán» están tomados del pequeño huerto casaliano. En remotos tiempos parece que los hizo también Juan del Encina; pero no con endecasílabos, que aún no habían sido introducidos al español. Sin embargo, a juicio mío, más interesante que estas innovaciones de forma es, en Julián del Casal, la espontánea originalidad de sus temas. Esos mismos admirables tercetos monorrimos del poema «En el campo», que sirvieran de modelo a Rubén para los suyos, no significan tanto en la evolución del Modernismo como los conceptos que ellos entrañan. En verdad resulta sorprendente que, en cualquier década del siglo XIX, un poeta escriba en correcto y sencillo castellano:

> *Tengo el impuro amor de las ciudades,*
> *y a este sol que ilumina las edades*
> *prefiero yo del gas las claridades.*

¿Qué bardo, aun sintiéndolo, se hubiera atrevido a confesar nada semejante? Abominar, mejor dicho, renunciar con gracia levemente irónica al paisaje de égloga de Virgilio, que se creyó siempre y aún se sigue creyendo consustancial a todos los poetas del mundo, debió de significar una verdadera apostasía. Y lo era evidentemente, pues artículo de fe venía siendo que los espíritus sensibles, sujetos a las cargas de la civilización, echaran de menos su paraíso perdido, consagrándole nostálgicas endechas:

21

Mucho más que las selvas tropicales,
plácenme los sombríos arrabales
que encierran las vetustas capitales.

Aquí está ya de cuerpo entero el poeta modernista. Nunca fue el Modernismo, como han pretendido algunos, apoyados no sé en qué razones, un retorno a la Naturaleza. Lo que los nuevos bardos desecharon fue el amaneramiento ramplón y vulgar, lo cual es ya bien distinto. Pero el Modernismo fue desde su principio un refinamiento, una poesía muy alquitarada, destilada sólo para paladares delicados. Fue, como se sabe, una poesía de *élite*.

La de Julián del Casal correspondió en todo a ella, y correspondió también –no es obvio decirlo– a un alma igualmente selecta. Era él un discreto aristócrata, a quien se podía herir con un sol demasiado intenso, pero no conducir blandamente por caminos trillados. Reunía en su cuerpo endeble fuerzas bastantes para desdeñar sin miedo tópicos consagrados como el encanto bucólico, los entusiasmos civiles y los exagerados rendimientos a la mujer. No creo que muchos de su tiempo se atrevieran a tanto. Asimismo, mueve a vivo interés la elegancia de sus imágenes, del todo suya, que no recuerdan a escritor alguno. Ya desde sus primeras composiciones sorprende esta aptitud del joven poeta. En una de ellas llega a ver cosas tan insólitas como el cadáver de un Dios...

Puede contemplar los remordimientos: los ve pasar por los ojos de su padre, «como pájaros negros por azul lago». Juega con los consonantes más difíciles sin denotar esfuerzo alguno, sin que éstos dejen de parecer nunca palabras naturales y hasta insustituibles por otras mejores, cosa que no acontece siempre con el mismo Rubén Darío, dueño y señor de todos los consonantes del mundo. Véanse estos ejemplos:

En el húmedo ambiente de la terraza
que embalsamaba el alma de las corolas,
viendo las líneas de oro que la luz traza
en las noches de estío sobre las olas...

Hoy... al platear la luna las frescas lilas,
con sus manos piadosas rasgó la tisis,
ante el asombro vago de sus pupilas,
el velo impenetrable que cubre a Isis...

Imposible enumerar en un ensayo a tiempo fijo todo lo que hay de hallazgo en la poesía de Julián del Casal. De él y de otra cubana muerta en flor, la poetisa Juana Borrero, escribiré algún día, si Dios me da fuerzas y tiempo, no todo lo que merecen sus preclaros talentos, pero sí lo que me ha sido dado entenderles. Y no es poco, ciertamente. Pero hoy no puedo extenderme más sobre ello, ni es necesario insistir. Que el nicaragüense se conocía al dedillo la literatura cubana, es un hecho. Era él también un centroamericano, un tropical, y la Geografía pesa siempre. Y así como en su autobiografía le niega a Silva el prestigio de haberle precedido, en la *Historia de mis libros,* y a propósito de lo que él llamaba orquestación del romance, reconoce que hay dos antecedentes en la materia. Y estos dos antecedentes son nada menos que el gran Góngora y un poeta cubano llamado Juan Clemente Zenea. Y conste que Zenea era un poeta de otra generación, bastante oscuro entonces y no mucho más claro después. Otra amistad muy interesante y no muy conocida de Rubén Darío con poetas cubanos es la que le une, desde 1890, con Desiderio Fajardo Ortiz, hijo de Santiago de Cuba.

Usaba éste el seudónimo de *El Cautivo,* aludiendo a su condición de inválido, que le mantenía para siempre uncido a un sillón de ruedas. Hombre de temperamento delicadísimo y dotes poco comunes, prefirió la soledad de sus serranías al justo brillo que le hubiera correspondido en el mundo, influido acaso por su dolencia física... Lo que llamarían hoy un complejo de inferioridad. Existen dos raros poemas a él dedicados por el gran bardo, que aunque se han recogido en la última edición de *Poesías completas,* de Aguilar, probablemente no se conocen mucho en España. Por si es así, no está de más transcribirlos. En uno de ellos dice al poeta paralítico cosas verdaderamente exquisitas, semejantes a éstas:

> *Como el príncipe del cuento,*
> *las piernas tienes de mármol;*
> *como poeta y artista,*
> *tus ojos miran los astros.*
>
> *Si eres cautivo, eres grande;*
> *si eres poeta, eres mago;*
> *si eres vate, tienes flores,*
> *y si eres dios, tienes rayos.*
>
> *Tienes tus* Mil *y una noches*
> *como el bello solitario,*
> *las tormentas de tus himnos*
> *y las nubes de tus cantos.*

23

Ansía todos los cielos,
ama todos los zodíacos,
¡y haz dos alas inmortales!
con las ruedas de tu carro!

El otro, puesto como dedicatoria a un ejemplar de *Azul...* que le envía, es por demás digno de atención, pues Darío esboza allí los postulados de la que debería ser su próxima revolución en la poesía castellana, y lo hace poniendo al vate cubano de colaborador suyo, tratándolo de igual a igual. Por poco que se sepa de Rubén Darío, no cabe ignorar que hubiera sido incapaz de transigir en estas cosas por mera condescendencia. Fue siempre un hombre, y lo fue consigo mismo. Este juicio, desde luego, no consagra a Desiderio Fajardo Ortiz, pero sí lo reconoce dueño de una sensibilidad diferente, de una condición creadora, capaz él mismo de hacer –aunque no lo hiciera luego– lo que él, Darío, estaba haciendo. He aquí el poema donde el gran señor del Modernismo tiende la diestra a un poeta olvidado:

Arte y amistad nos ligan.
Mientras yo exista y tú existas,
seamos hermanos y artistas;
arte y amistad obligan.

Arte es religión. Creamos
en el arte, en él pensamos;
a sus altares llevemos
nuestras coronas y ramos.

Hagamos de la expresión
que siempre armonía sea,
y hagamos de cada idea
una cristalización.

La prosa es el material;
adorno, las frases mismas;
y las letras son los prismas
del espléndido cristal.

Y dejemos sus enfáticas
reglas y leyes teóricas,
a los que escriben retóricas
y se absorben las gramáticas.

Pensar firme; hablar sonoro;
ser artista, lo primero;
que el pensamiento de acero
tenga ropaje de oro.

A punto de terminar esta reseña, debo explicar por qué pasé por alto algunas cuestiones tan comentadas como la introducción del verso anapéstico y la del alejandrino en nuestro idioma. La verdad es que no ha habido tales introducciones, como con respecto al primero ya aclaró suficientemente Menéndez Pelayo. Hay muchas innovaciones de métrica que se consideran descubrimientos del Modernismo y no lo son: son cosas que ya se sabía de memoria nuestra madre España, y las cantaba mientras nos iba amasando el idioma con sus manos fuertes. Ese mismo anapéstico, antes de saber leer, ya lo conocíamos de niños en nuestra América; lo habíamos aprendido en labios de la clásica, maternal niñera de Galicia, cuyos ojos, llenos siempre de morriña, contrastaban con la picardía del cantar:

> *Tanto bailé con la hija del cura,*
> *tanto bailé que me dio calentura...*

En cuanto al alejandrino, quieren decir ahora que nos lo enseñaron los franceses, cuando es lo cierto que, con cesura o sin ella, traído o llevado por Rubén, por Gavidia o por Becu, desde hace siglos Gonzalo de Berceo usaba el alejandrino muy gentilmente. Sobre el metro de doce en su modalidad llamada de seguidilla, dije ya que mantenía algunas dudas. Desde luego, creo que nadie pretende darle otra cuna que el idioma español; pero andan tan cercanos en el tiempo José Martí, Julián del Casal y Salvador Rueda... La Avellaneda lo usó también, y antes; pero esporádicamente y sin agilidad ni gusto. Rubén Darío lo usó con elegancia, pero después que los cubanos. Digo esto porque las primeras poesías escritas por él en esa métrica son, si no me equivoco, unos sonetos que aparecen en el libro *Azul...* Y es el caso que esos sonetos no se incluyen en la primera edición, sino en la segunda. Por lo cual no me falta razón para suponer que no estaban escritos cuando no se incluyeron, y son, por tanto, posteriores a los famosos tres *Cromos españoles,* de Julián del Casal, y seguramente a los de Salvador Rueda. Tampoco sería extraño que antes de Rueda ya se empleara en España como verso la seguidilla, que imita, como sabemos, el ritmo de una tonada popular española[2].

2. Los sonetos de Rubén Darío en «dodecasílabo de seguidilla», que aparecen en la segunda edición de *Azul...,* sí son anteriores a los de Casal en igual metro, porque esa segunda edición es de 1889, realizada en Guatemala. Son también necesariamente anteriores a los de Salvador Rueda. Ahora bien: ese metro que, aunque tímidamente, fue usado por la Avellaneda, fue ampliamente explotado por

En cambio, por fallos de mi mala memoria e imposibilidad de consultar en poco tiempo mi biblioteca, un tanto desordenada, no figura aquí como debiera un verso dodecasílabo, que sí es –me parece, pues esto es siempre peligroso afirmarlo– un auténtica novedad de nuestras Letras. Novedad menos feliz pero no menos novedad que el metro de quince, que el gran nicaragüense introduce y nadie ha podido imitarle. Este metro de doce a que me refiero ofrece la peculiaridad de no estar dividido en hemistiquios, ni en los de seis y seis –que ya entonces se consideraban muy exóticos–, ni en los de siete y cinco, a manera de la famosa seguidilla de que hemos hablado.

El raro y distinto ritmo se consigue únicamente acentuando la tercera y la séptima sílaba, como vamos a ver en este ejemplo, tomado de un poema que se llama, si mal no recuerdo, «En la playa»:

> *Por la arena divagando en tu conquista,*
> *con tu blanca marinera de batista...*

Sólo a los hermanos Uhrbach, muy ilustres matanceros, les he visto usar esta métrica[3]. Pero obsérvese ahora que la novedad no se queda sólo en lo externo, sino que traspasa el poema entero. Y ésta es, a mi juicio, la modalidad más interesantes que ofrecen los modernistas de la verde Antilla.

En verdad que giro atrevidísimo tuvo que ser en su momento ese tema, no por inmoral sino por antipoético... Recuérdese que Unamuno encontraba prosaico a Rubén Darío por menos delito que el del autor de esos versos poco dignos y sobrado modernos. De un modernismo que aún lo sigue siendo. El baño de Diana, el de la casta Susana y hasta el de una odalisca oriental podían escalar el trono de un poema... Ahora bien, el que tuviera lugar en un balneario público, allí tenía que quedarse. Ponerle consonante y rima debe de haber conturbado a todo el mundo, debe de haber constituido un perfecto tabú, tanto para clásicos como para románticos, para parnasianos o para simbolistas.

José Zorrilla en *Álbum de un loco* (1875). También fue utilizado por Ricardo Gil (1875). Así, el Modernismo no creó ese metro, pero le dio más soltura y elegancia. Además, lo generalizó y popularizó. A esa labor contribuyó en primera línea Julián del Casal, con sus mencionados tres *Cromos españoles*.

3. Uno de los primeros en utilizar el dodecasílabo que suma tres cláusulas de cuatro sílabas cada una, como lo hizo Federico Uhrbach, fue José Santos Chocano en «El nuevo dodecasílabo» (1895). Más elegante y armonioso, sin duda, es el mismo metro cuando lo usa Federico Uhrbach, pero su poema es posterior.

Hay que ver caminar por la playa a esa bañista del siglo XIX, probablemente con un gorro de lona, unos mamelucos, unas medias a rayas y todavía envuelta en «su blanca marinera de batista...». Una estampa de la moda elegante surge a nuestros ojos, toda florecida de sombrillas de colores y niños jugando al aro. Ya la nombré de pasada; pero no puedo por menos de volver a ella, a la poetisa Juana Borrero, esa jovencita pálida y morena que pasa como un amor fantasma por la poesía de Julián del Casal. Voy a atreverme a decir que, de no haber muerto esta niña como murió, a los dieciocho años, y casi al mismo tiempo que aquél, hubiera constituido ella sola acaso el mejor aporte de la poesía cubana al Modernismo. Y acaso, acaso, hasta de la poesía americana. Hay que darse cuenta de lo que significa escribir a los catorce, a los quince años, las cosas que ella escribía. Imaginarlas era ya un enigma; expresarlas, una revelación. Nada de balbuceos infantiles, o de insípidas ñoñadas, o de aturrullamiento de lecturas, a semejanza de lo que suele verse en la adolescencia de los poetas, aun cuando sean después geniales.

Audaz, más en el fondo que en la forma, hace versos nuevos con palabras viejas; dice cosas que ninguna otra poetisa de su época se atrevía a decir. Soñaba con un «beso imposible», que no podía darle ninguna criatura viva; «un beso que le dejara una estrella en la boca y un tenue perfume de nardo en el alma»... Cuando los ojos leen un soneto como su «Apolo», que, aun con sus lunares, requeriría años de dedicación, de concentración para cuajarlo, se hace imposible pensar que lo trazara una mano que apenas había soltado la última muñeca... Y hay que pensar también con nostalgia irreparable en lo que ella hubiera sido capaz de escribir si la muerte la hubiera esperado siquiera un año más. He aquí el soneto dedicado a un Apolo de mármol y escrito por esta singular criatura cuando sólo tenía doce años:

Marmóreo, altivo, refulgente y bello,
corona de su rostro la dulzura,
cayendo en torno de su frente pura
en ondulados rizos el cabello.

Al enlazar mis brazos a su cuello
y al estrechar su espléndida hermosura,
anhelante de dicha y de ventura
la blanca frente con mis labios sello.

Contra su pecho inmóvil, apretada,
adoré su belleza indiferente,
y al quererla animar desesperada,
llevada por mi amante desvarío,
dejé mil besos de ternura ardiente
allí apagados sobre el mármol frío.

Este es un bello soneto en cualquier tiempo y en cualquier poetisa; pero hecho por una niña, es extraordinario; y, hecho cuando casi no se sabía lo que era el Modernismo, es modernista.

Juana Borrero y Carlos Pío Uhrbach, que habría de morir también muy pronto en el fragor del combate, son los últimos grandes poetas con que se nutre el incipiente Modernismo en Cuba. Es cosa singular que todos estos bardos cubanos, que habrían decidido a favor de su patria la trascendental batalla librada por las Letras al surgir aquel movimiento llamado a hacer época, murieran sin alcanzar la madurez de la edad, pues hasta el mismo Martí remontaba apenas los cuarenta años de su vida cuando cae fulminado en Dos Ríos. A partir de ellos, el silencio empieza a crecer como la hierba en los caminos por donde nadie anda. En el misterio de estas tempranas muertes sería cosa de ahondar con pluma diferente de la que uso en las presentes líneas.

Ésta me basta hoy para encontrar en ellas mismas la razón del fenómeno que intrigaba al sabio Pedro Henríquez Ureña, hasta el punto de dejarlo apuntado en una obra: el hecho de que en Cuba –salvo alguna que otra excepción–, a la inversa de lo que sucede en casi toda América, y maravillosamente en la Península Ibérica, el Modernismo dejó de dar fruto antes de terminar el siglo XIX.

No había ya maestros. Y los discípulos se dispersaron pronto, porque el cielo anunciaba tempestad. Y así también, siendo, como fuimos, iniciadores, fundadores de la gran reforma, a la hora de la cosecha no tuvimos parte en ella, como no la tuvo Moisés en la Tierra Prometida. No lo lamentemos demasiado. La vida cobra siempre el don que hace, al parecer generosamente. Y tener lo que tuvimos fue también un don. Un don y un destino. Alumbrar a los otros y quedarse en la sombra, conducir a los demás y no llegar con ellos nunca... Quizás ése sea el destino de todos los Apóstoles.

(Universidad de Salamanca, julio de 1953)

ANDRÉS BELLO
MISIONERO DE LA POESÍA
HISPANOAMERICANA

S IEMPRE HE CREÍDO que una de las mayores dificultades que
hallar puede en su oficio el escritor hispanoamericano, si desea —como es de desear— traer a las bellas Letras su americanidad,
una de las mayores dificultades con que ha de verse, repito, es el
hecho de que pese a la exuberancia de su geografía y al dramatismo
de su Historia, América ha tardado bastante en convertirse en un
valor clásico.

Aunque nos empeñemos en tener como obras de Literatura las
Crónicas de los primeros viajeros llegados a nuestras playas en
tiempos de la Conquista; aun considerando como tales sus pinto-
rescas descripciones, de todas formas un gran vacío sigue a aquella
primera floración, apenas interrumpido por las nostálgicas evoca-
ciones del Inca Garcilaso.

¿Es que no había entre nosotros escritores capaces de crear algo, aun con una América rudimentaria, plagada de pastiches europeos? Algunos habría, pero tal vez con sentido de responsabilidad
retrocedieron ante esta labor de desbrozamiento, y a cambio no
faltaron plumas mediocres que pretendieran acometer la empresa.

¿Fueron estas tentativas de las mediocres, las que pusieron en fuga a las ilustres? El fenómeno es rico en sugerencias, mas también nosotros debemos renunciar a su examen, regidos como estamos por la tiranía del tiempo.

Sea como fuere, me parece que es necesario andar un largo trecho, llegar casi hasta nuestros días, para clasificar obras auténticamente americanas y ya, definitivamente, paradigmas del género: hablo de la *María* de Jorge Isaacs o del *Facundo* de Sarmiento o la *Cecilia Valdés* de nuestro Villaverde.

Por supuesto, ya antes de llegar a estas que pudiéramos considerar piedras miliares, otros autores americanos y extranjeros habían escrito sobre América, entre estos últimos alguno ya famoso como Chateaubriand. Empero, si hemos de mantener un juicio estrictamente, nunca se redondeaba la obra. Como se sabe, sus escenarios pecan a menudo de artificiales, sus personajes hablan, sienten y se comportan como europeos de su siglo, trasplantados a nuestro suelo.

Vale decir que cuando se quería trabajar con elementos autóctonos, las obras resultaban flojas, desprovistas de la grandiosidad propia del Continente; y cuando, por el contrario, éstas alcanzaban algún vigor, faltaban los elementos característicos o eran reproducidos caprichosamente.

Aclaremos ahora que tampoco se consigue la escurridiza americanidad acumulando página tras página especies propias de la fauna y la flora de nuestro continente; eso, por lo forzado, desnaturaliza lo mismo que quiere naturalizar; y menos todavía se consigue intercalando en cada párrafo voces, vocablos indígenas o modismos regionales que obligan al lector a suspender constantemente la fatigosa lectura para consultar en la lista, muchas veces puesta al final, el significado en español de tales vocablos.

Una obra puede calificarse de americana o de oriental, o de cualquier región del planeta dotada de caracteres propios, no tanto señalando esas características sino más bien el ambiente que ellas crean sin necesidad de nombrarlas, o nombrándolas como al azar.

Esto se ve especialmente en la novela *María* ya citada: sin prescindir del apunte regional, del paladeo de lo típico, pero en dosis discretas, el autor logra adentrarnos en su valle idílico o remontar juntos el tremendo río donde al final sólo aguarda la muerte.

No necesita Eustasio Rivera de un diccionario como apéndice para describirnos con colores propios su selva devoradora de hombres; ni lo necesita Miguel Angel Asturias para enfrentarnos —con cierto regodeo morboso— a un típico gobernante de nuestras tierras.

Pero estos ejemplos son las excepciones de la regla y, como tales, deben ser traídos al presente trabajo a modo de contraste con los otros para apreciar la vacuidad que los precede.

Esto en cuanto a la prosa; pero si nos concretamos en la poesía, volvemos a tropezar con el mismo resultado: desde la *Araucana* de Ercilla, hasta el comienzo del pasado siglo, no es fácil encontrar poemas genuinamente americanos y al mismo tiempo dignos de llamarse obras maestras como la *Oda de Niágara* de Heredia o la que el mismo autor dedicó al Teocalli de Cholula.

Ahora bien, Heredia es un poeta puro, incapaz de cantar lo que no siente; pero tanto en la prosa como en la poesía, en la obra lograda como en la que no se logró, la mayoría de los autores que siguieron sus relatos o sus versos en este hemisferio, puede decirse que lo hacían por esnobismo, por presentar algo raro y novedoso al lector. Ninguno escribe con ánimo de reformar, de difundir los valores éticos y estéticos de América, de volver a descubrirla ante sus hermanos de pluma; ninguno escribe con esa querencia ávida de traspasarse a otros, de lograr en ellos una transfusión de sangre nueva: y eso fue lo que hizo el hombre cuyo Bicentenario celebra hoy la Academia, Andrés Bello.

Más de un glorioso título se ha dado a este gran enamorado de nuestros cielos: Virgilio de América, Adelantado del Pensamiento en nuestras tierras, Puente entre dos culturas y dos razas. Por Educador de un Continente lo tiene Torres Rioseco y por Salvador del Castellano en el Nuevo Mundo, sus más connotados panegiristas españoles.

Eduardo Crema, su bien documentado biógrafo, lo presenta como Libertador Artístico de América, en frase puesta de contrapunto al título de Libertador dado a Bolívar. Porque como apunta con fino ingenio este autor, Andrés Bello con su pluma hizo por el Continente lo que no podían hacer con sus espadas Bolívar, Sucre, San Martín: liberar las formas de expresión todavía encadenadas al viejo molde europeo.

Es coincidencia para meditar o, más bien, no coincidencia, sino consecuencia de un estado anímico en todo caso muy natural, el hecho de que los escritores que vivieron largo tiempo alejados de su patria sean los más propensos a evocarla en sus obras. Tal es el caso, entre otros muchos, de los mismos Heredia o Villaverde ya citados, y desde luego, el de la prócer figura que nos ocupa ahora, Andrés Bello.

La hermosa virginidad de América seduce a este hombre que vivió veinte años lejos de ella. Pero América es grande y grande es

31

el corazón que él divide en dos mitades; da una a Venezuela, que fue su cuna, y otra se la reserva a Chile, que será el puerto de recalar sus naves tras las tormentas.

La hermosa virginidad de América, sí, porque se puede decir y lo hemos dicho, que América es todavía virgen para la generación de Bello, que sigue escribiendo, cuando escribe bien, en el lenguaje culto de los bachilleres de Salamanca o en aquel otro entre sentimental y ligero del salón de Mme. Recamier. Apenas se atreven a salpicar sus páginas con los rudos vocablos medio indígenas y medio arcaicos que, a semejanza de las llamas y las vicuñas, sólo parecen respirar en el delgado aire del Altiplano.

No importa que el ecuatoriano Olmedo haya dedicado a Bolívar un poema épico, bello poema en verdad, pero tan ajeno a las jornadas que canta, que el mismo Libertador parece desconocerlas. Recuérdese su comentario entre extrañado y divertido: «Usted hace de mí un Júpiter; de Sucre, un Marte; de La Mar, un Agamenón o un Menelao... Usted dispara con todos los fuegos del Olimpo donde no se ha disparado un solo tiro». Porque, en efecto, en la batalla de Junín sólo se emplearon las armas blancas.

Dista mucho de ser extensa la obra poética de Bello, si hemos de juzgar por lo que de ella se conoce. Miguel Antonio Caro nos dice que el poeta, en exceso modesto, no gustaba de entregar sus poemas a la imprenta y cuando al cabo de los años hubo de realizarlo, fue desechando gran parte de los mismos, que casi en su totalidad se perdieron.

Ello explicaría la ausencia de versos de amor en estas cuarenta composiciones que he tenido a la vista. No parecería natural este silencio en poeta alguno y menos puede parecerlo en un temperamento de suyo tierno y delicado. Es probable que no considerase propio de un escritor maduro, de un grave investigador, dar a la publicidad poemas de juventud, provenientes de su acervo íntimo. Teorías más recientes suponen que, dominado por el empeño de americanizar a América, tuvo por hojarasca estorbadora lo que no sirviera a su elevado propósito.

Pero antes de entrar a discernir qué es lo definitivo en esas cuarenta composiciones, forzoso es detenerse en esa obra magna que, al decir de algunos de sus más reputados polígrafos, bastaría para inscribir el nombre de este varón insigne en los anales de la inmortalidad. Nos referimos a la paciente, exquisita y casi pudiéramos decir que amorosa reconstrucción del *Poema del Mío Cid.*

En ella veo al poeta en la actitud de un orfebre frente a una antigua joya real; una joya algo deteriorada por el tiempo.

Con dedos finos y ágiles va engastando una y otra gema allí donde faltaban las primitivas; ajustando y puliendo los engarces, devolviendo a la frágil estructura la gracia inicial.

Esto que, dicho así, pudiera parecer –y es– una fantasía de quien habla, no refleja sin embargo todo lo que la obra significó en la realidad. Para llevar a término tal empresa, Bello necesitó no sólo un profundo conocimiento del castellano antiguo, sino también, como apunta Louis Untermeyer, una minuciosa búsqueda por bibliotecas especializadas, un muy sensible tacto al calibrar y comparar vocablos, y sobre todo esto, unas dotes de versificador que le permitieran, como lo hizo, adivinar a través de una niebla de siglos las piezas perdidas o recrearlas con tal acierto de percepción que posteriores investigaciones no han hecho más que confirmar su exactitud.

Lo que sigue en la obra poética de Bello puede centrarse en tres poemas claves: la *Oración por Todos*, basada en la composición de Víctor Hugo; la *Alocución a la Poesía* y la *Silva a la Agricultura de la Zona Tórrida*. Estas dos últimas, menos destacadas que la primera, lo cual no me parece justo.

Pero bien, fue la *Oración* la que extendió su eco por los ámbitos de la fama: todos los críticos están de acuerdo en que dicha obra es superior al original, caso éste que se da muy raras veces en la historia de las Letras. Por tanto, más que una imitación o una traducción, es una verdadera creación en la cual la materia prima la pone Hugo, pero el acendramiento, la elaboración, el espíritu lo da Bello.

Sin él, es muy probable que la famosa *Oración* no hubiera traspasado las paredes de los cenáculos parisinos. A cambio, en la voz de Bello, su resonancia llega a América y ha sido necesario que todo se remueva y cambie de nombre y de lugar en nuestro Hemisferio para que ya no veamos a los muchachos de Segunda Enseñanza leyendo, analizando y hasta recitando esta extensísima composición.

Y es que se da la circunstancia excepcional de que el tapiz vuelto al revés de que nos habla Cervantes resulta más hermoso por el revés que por el derecho: que el «traduttor», «traditor» del aforismo italiano, no es aquí «traditor», ni casi «traduttor», sino exaltador de las bellezas del poema, realzador de matices que se desvanecían, descubridor de giros medio perdidos hasta lograr su rescate y plena realización.

He aquí un fragmento que leeré para sabrosa evocación de aquellos que entre los presentes ya dejaron atrás la cincuentena: seguramente guardarán la música de estos versos entre sus más caras remembranzas:

Vé a rezar hija mía. Ya es la hora
de la conciencia y del pensar profundo.
Cesó el trabajo afanador y al mundo
la sombra va a colgar su pabellón.
Sacude el polvo el árbol milenario
al soplo de la noche y en el suelto
manto de la sutil neblina envuelto
se ve temblar el viejo torreón.

Mira: la rueda de cambiante nácar
el Occidente más y más angosta;
y enciende sobre el cerro de la costa
el astro de la noche su fanal.

Para la pobre cena aderezado
brilla el albergue rústico y la tarda
vuelta del labrador la esposa aguarda
con su tierna familia en el umbral.

Brota del seno de la azul esfera
uno tras otro fúlgido diamante,
y ya apenas de un carro vacilante
se oye a distancia el desigual rumor.

Todo se hunde en la sombra, el monte, el valle
y la iglesia y la choza y la alquería,
y a los destellos últimos del día
recoge sus rebaños el pastor.

Naturaleza toda gime: el viento
en la arboleda, el pájaro en el nido
y la oveja en su trémulo balido
y el arroyuelo en su correr fugaz.

El día es para el mal y los afanes...
¡He aquí la noche plácida y serena!
El hombre, tras la lucha y la faena
quiere descanso y oración y paz.

No podía ciertamente hablar de Andrés Bello sin hacer un alto en su famoso poema, más suyo ya que de Víctor Hugo, como son más nuestras las cosas que hemos amado, cuando las amamos más que sus mismos dueños.

Pero cumplido ya este rito, séame permitido volver a aquella condición que es, a juicio de muchos, la más original y trascendente en el poeta Andrés Bello. Y la dejé antes enunciada, ahora debo exponer los fundamentos del aserto.

En los forzosos límites a que debe ceñirse mi trabajo, prescindo de la célebre polémica entre Bello y Sarmiento que tanto apasionó a las gentes de su hora, y en la cual, como suele decirse vulgarmente, el argentino perdió los estribos. En realidad, ella, aunque pudiéramos reconocerle cierto carácter de preludio, no propugnaba una verdadera reforma, una innovación en el campo de las Letras. Eso vino después, como veremos.

Los elementos a que me refería, ya están netamente delineados en la composición titulada *Alocución a la Poesía*. Ella y la *Silva a la Agricultura de la Zona Tórrida* estaban destinadas a formar parte de un gran poema que pudiéramos llamar sinfónico, algo así como una tetralogía americana al modo wagneriano que ya había concebido su autor, pero que no llegó a plasmar.

Allí el bardo se dirige a la Poesía, considerada ésta, no como un ente abstracto o una fuerza propia, sino más bien como una criatura viva, separada de él, susceptible de escuchar su palabra, su razonamiento, su consejo. Ante ella, y para moverla en su favor, despliega a manera de manto suntuoso las bellezas naturales de las regiones americanas, la excelencia de sus frutos, la majestad de sus montañas y sus ríos, las hazañas de sus héroes. Se trata de cautivarla, de atraer su atención hacia aquello en lo cual aún no ha reparado, entretenida como está en los aderezos clásicos y neoclásicos.

Y esta ambición de Bello es tanto más encomiable y hasta más conmovedora, por cuanto él mismo era también un neoclásico. Nunca logró liberar su lira de la tónica dada por Quintana, Cienfuegos, Martínez de la Rosa. Pero si él no había logrado hacerlo, ahí estaban los jóvenes que bien podían asumir la tarea con sólo volver los ojos a lo que tenían delante, en vez de mirar siempre hacia España o hacia Francia.

Rememoremos los comienzos de esta invitación que es algo más que persuasiva, y poco menos que conminatoria:

Alocución a la Poesía
[Cito sólo el comienzo]

Divina poesía
tú, de la soledad habitadora,
a consultar tus cantos enseñada

con el silencio de la selva umbría:
Tú, a quien la verde gruta fue morada
y el eco de los montes compañía:
Tiempo es que dejes ya la culta Europa
que tu nativa rustiquez desama,
y dirijas el vuelo adonde te abre
el mundo de Colón su grande escena.

También propicio allí respeta el cielo
la siempre verde rama
con que el valor coronas:
también allí la floreada vega,
el bosque enmarañado, el sesgo río
colores mil a tus pinceles brindan.
Y el céfiro revuela entre las rosas
y fúlgidas estrellas
tachonan la carroza de la noche.

Allí, aún más hermoso el rey del cielo
entre cortinas bellas
de nacaradas nubes se levanta,
y la avecilla en no aprendidos tonos,
con dulce pico, endechas de amor canta.

¿Qué son a tí, silvestre ninfa
el oropel, las pompas
de dorados alcázares reales?
¿A tributar irás en ellos,
en medio de la turba cortesana
el torpe incienso de servil lisonja?

No así te vieron tus más bellos días
cuando en la infancia de la raza humana,
maestra de los pueblos y los reyes,
dictaste al mundo las primeras leyes.

No te detenga, ¡Oh diosa!
Esta región de luz y de miseria,
en donde tu ambiciosa rival Filosofía,
que la virtud a cálculo somete,
de los mortales te ha usurpado el culto;
donde la coronada hidra amenaza
traer de nuevo al pensamiento esclavo
la antigua noche de barbarie y crimen:
donde es la libertad vano delirio,
fe la servilidad, grandeza el fasto
y corrupción, cultura se apellida.

Descuelga de la encina carcomida
la dulce lira de oro con que un tiempo
las gracias atractivas
de una naturaleza aún inocente,
a los hombres cantaste embelesados:
y sobre el vasto Atlántico tendiendo
las alas, a otros cielos, a otros mundos,
a otras gentes tus rumbos encamina.
Aún viste allí su primitivo traje
la tierra, al hombre sometida apenas;
y las riquezas de los climas todos,
América, del sol joven esposa
y del antiguo mar hija postrer
en su seno feraz cría y esmera.

Veamos ahora la fruición, el mimo que en la *Silva* pone al hablar de la tierra, de la variedad de sus frutos según su imaginación de poeta.

Silva a la Agricultura de la Zona Tórrida
[Cito un fragmento]

Salve fecunda zona
que al sol enamorado circunscribes
el vago curso, y cuanto ser se anima
en cada vario clima,
acariciada de su luz, concibes.

Tú tejes al verano su guirnalda
de granadas espigas: tú, la uva
das a la ardiente cuba:

No de purpúrea fruta, o roja o gualda
a tus florestas bellas
falta matiz alguno; y bebe en ellas
aromas mil el viento;
y greyes van sin cuento
paciendo tu verdura desde el llano
que tiene por lindero el horizonte,
hasta el erguido monte,
de inaccesible nieve siempre cano.

Tu das la caña hermosa
donde la miel se asendra,
por quien desdeña el mundo los panales:

Tú, en urnas de coral cuajas la almendra
que en espumante jícara rebosa,
bulle carmín viviente en tus nopales
que afrenta fuera al múrice de Tiro;
y de tu añil la tinta generosa,
émula es de la lumbre del zafiro.

El vino es tuyo que la herida agave
para los hijos vierte
del Anahuac feliz; y la hoja es tuya
que cuando de suave
humo en espiras vagarosas huya,
solazará el fastidio al ocio inerte.

Tu vistes de jazmines
el arbusto sabio,
y el perfume lo das que en los festines
la fiebre insana templará a Lieo.

Para tus hijos la procera palma
su vario feudo cría;
y el ananás sazona su ambrosía;
su blanco pan la yuca,
sus rubias pomas la patata educa
y el algodón despliega al aura leve
las rosas de oro y el vellón de nieve.

Tendida para tí, la fresca parcha
en enramadas de verdor lozano
cuelga de sus sarmientos trepadores
nectáreos globos y franjadas flores.

Y para tí el banano
desmaya al peso de su dulce carga:
El banano, el primero
de cuantos concedió bellos presentes
Providencia a las gentes
del Ecuador feliz, con mano larga.
No ya de humanas artes obligado
el premio rinde ópimo;
no es a la podadera, no al arado,
deudor de su racimo...
Escasa industria bástale, cual puede
hurtar a sus fatigas mano esclava
crece veloz y cuando exhausto acaba,
adulta prole en torno le sucede.

No se puede hacer elogio más fino y más certero de un producto del agro que como el plátano se tiene generalmente por tosco, falto de gracia y adocenado. Pero los poetas son así, ven las cosas de distinto modo o las ven más allá de su presencia física.

A Arturo Torres Rioseco le intrega el modo con que Bello suspende su estro sobre aquellos productos del agro que, como él observa, atraen más el paladar que el sentido artístico del hombre medio: café, tabaco, ananás (que aquí llamamos piña), aguacate, cacao y plátanos.

Pero es el caso, pienso yo, que lo hace así porque precisamente quiere despertar el interés de ese hombre medio, de ese poeta medio que puede llegar a ser un poeta mayor, en la belleza de esos frutos, independientemente de su sabor. Es decir, que no lo hace con un regusto de «gourmet», como parece desprenderse del comentario, sino con un criterio de esteta que es a su juicio lo que puede darles rango poético. Así, compara la cáscara que reviste la almendra del cacao con urnas de coral: llama cándida miel a lo que nosotros conocemos por guarapo, y al fruto de la pasiflora, planta vulgar en Venezuela, nectáreos globos suspendidos entre franjadas flores...

Hablando así, Bello, sin faltar a la verdad, no se apartaba de la definición que un siglo más tarde daría Miguel Antonio Caro de su poesía: «Una manera ideal y bella de concebir, sentir y expresar las cosas».

Naturalmente, nosotros ahora sabemos que estos refinamientos del lenguaje, estas exquisiteces todavía clásicas o ya románticas, ya culteranas, no cuadran en modo alguno a Nuestra América, que es una tierra recia a la que hay que hablar reciamente. Pero así como ella no puede convertirse en una mansa Arcadia, tampoco Andrés Bello podía dejar de ser lo que fue, un escritor de estilo pulcro y mesurado, un sereno humanista todo elegancia y contención.

Y aquí la interrogante: pese a esas diferencias casi antagónicas, ¿logró Bello realizar lo que llamara Crema su fulgurante intuición americanista? Es decir, ¿empezó a cuajar desde su llamado a la tierra la transformación que, creciendo poco a poco, llegaría en los presentes tiempos a conmocionar la gran Literatura Hispanoamericana? ¿Cabe, entre uno y otro fenómeno, relación de causa a efecto?

No podemos afirmarlo; y tampoco negarlo sin ahondar más en el misterioso proceso.

La palabra poética, como la palabra divina, tiene muchos caminos. Por tanto, nada impide pensar, al que así piense, que de esas extrañas nupcias de aquel nieto de Horacio con la tierra indomada fue que nacieron luego, en feliz mestizaje, los magníficos exabruptos de un Santos Chocano o un Díaz Mirón; el verso duro de Gabriela junto a la fresca lírica de Juana; el aticismo de un Valencia y el verbo de ala y garra de un Martí.

(1981)

RAFAEL MARQUINA:
ORGULLO DE ESPAÑOL Y CATALÁN

E L ESPÍRITU DE ISABEL la Católica nos sigue siempre, como si el último hálito de la gran Reina difunta se hubiera quedado flotando en el aire, sobre el mar hasta nuestras playas.

Algo de ella persiste en dar calor, en mantener desde lejos una larga, delicada, comedida vigilia. Algo de ella continuó interesándose sobre el destino de las almas de América, sobre el respeto que debe, a la dignidad de la criatura, la dignidad del que se siente verdaderamente creador.

Ese respeto nos ayudó a sentirnos fuertes y nos libró del complejo de inferioridad que ante la nación progenitora arrastran los pueblos emancipados, aun cuando sean más fuertes y más poderosos que aquélla.

Tuvimos desde el principio conciencia de pueblo libre, y todo español que acuda a esta conciencia con la palabra fortalecedora, con la presencia útil, con el reconocimiento estimulador, está cumpliendo un postulado isabelino, está encarnando la pasión de España.

«Yo pienso, luego existo», decía el filósofo. Y cabe interpretar que el pueblo que no piensa, no existe. Aún más que para los hombres, para los pueblos preservar las funciones del pensamiento es preservar la propia existencia.

41

Rafael Marquina estuvo pendiente del pensamiento cubano por más de tres lustros. No se cansó nunca de estarlo, no se le aflojó el interés ni la voluntad, no le pareció ninguna parte mínima de ese pensamiento digna de ser pasada por alto, aun cuando a muchos de nosotros mismos así nos lo haya parecido alguna vez.

Este gran amigo de Cuba, este espiritual amigo de nuestro espíritu, ha llevado siempre la linterna por delante en eso de descubrir tesoros nuestros escondidos.

Mas no se crea por lo que acabo de decir que fue él un visionario o que tiene la manga ancha para sacarse de ella una pollada de genios. Bien lejos de tal cosa, Marquina fue hombre de rigor y de mesura, conoce su responsabilidad y no se arriesgaría jamás a comprometerla. Si yerra alguna vez, lo hará con aquel derecho al error que Martí le reconocía al hombre honrado.

Pero sin ser visionario se puede tener fe; sin ser blando se puede ser humanamente acogedor; sin manga ancha o estrecha se puede mantener el brazo firme a la hora de sembrar, de reunir, de desbrozar.

No necesitamos que nos engañen, sino que nos esperen. No necesitamos que nos halaguen los oídos, sino que nos pongan el oído sobre el corazón. Y esto es lo que hizo Marquina, auscultarnos la inquietud y el ímpetu de la sangre, enterarse de nuestras ansias y nuestros titubeos, tomarnos el pulso día a día no con la grave frialdad de un médico, sino con la cariñosa solicitud de un amigo, de un familiar que mientras lo hace nos sonríe como dándonos a entender que todo marcha bien.

Se ha dicho de Rafael Marquina que él es como el notario público de nuestra vida intelectual. El que da fe de ella y la registra y la deja anotada, vigente en sus libros para general conocimiento. Ser eso es ser bastante; pero, para mí, Rafael Marquina es algo más. Marquina es lo que decía Gabriel D'Annunzio de sí mismo sin ser cierto; Marquina es un animador. Creador y animador no son como se piensa a primera vista la misma cosa, y es mucho más difícil ser animador que creador. Es, por lo pronto, más abnegado.

El creador hace su propia obra, el animador ayuda a hacer la de los demás.

A veces tiene mucho de Cirineo, ese personaje de que se habla tan poco en los Evangelios y que a mí me ha intrigado siempre; y tiene también de la Verónica, nos muestra en su pañuelo el propio rostro que no nos conocíamos, sudado, transfigurado en la jornada.

El animador tiene que serlo por vocación, por espontánea y noble voluntad de servicio, por una como cierta predisposición a quedarse en la sombra para empujar a muchos hacia el sol.

Pero, en el caso de Rafael Marquina, esta actitud viene a ser especialmente generosa, porque él tiene su obra que solear y tuvo por largo tiempo ocasión de nutrirla y enseñarla.

Hermano de Eduardo, dramaturgo de fama universal, le hubiera sido fácil unirse a él en un común destino. Bien lejos de faltarle méritos para ello por la diversidad de su estilo, quizás hubiera contribuido a dar un más movido giro al estilo de aquél o, por decirlo mejor, a crear un nuevo robusto estilo entre los dos.

No era rara esta clase de alianza allá en Europa y mucho menos en España. Los hermanos Marquina habrían sido como los hermanos Machado o los hermanos Quintero y con el transcurso del tiempo las diferencias que al principio podían haber chocado entre sí, se hubieran ido puliendo, fundiendo unas en otras como los perfiles de distintos montes en el cielo de la tarde.

¿Por qué no se hizo así? ¿Reservas de aquella sensibilidad delicada, pudorosa casi, de Eduardo? ¿Afán de independencia de Rafael, altivez acaso? Nunca me atreví a preguntarlo al amigo con quien he conversado largas horas, aunque a decir verdad los puntos de la interrogación sin expresar me interferían muchas veces la fluidez del sustancioso diálogo.

En una circunstancia singular me pareció que se nos iba a revelar el enigma: a ruego de la amistad, Rafael Marquina llevaría como tema, a su discurso de ingreso en la Academia Nacional de Artes y Letras, los vínculos de sangre y de espíritu mantenidos desde el comienzo de sus días con el ya inmortal autor de «En Flandes se ha puesto el Sol...».

Fue aquella una de las más hermosas noches que muchos pueden recordar en el vetusto y grave recinto de nuestra Academia.

Todo se dijo con la sencillez de un verso griego. Y también con su pulcritud y su dignidad. Sólo que allí esos elementos estaban vivos, presentes ante nosotros, no como sombras acompañando sombras legendarias, sino en cuerpo casi tangible, en casi tangible alma rozando casi con la nuestra. Sin embargo, ni aun entonces, en aquella inolvidable elegía al hermano muerto, pudimos sorprender el secreto que se quedó entre ambos, pese a la emocionada intimidad que de ella trascendía como aroma de espliego en arcas abiertas.

He leído muchas veces esta elegía; hay momentos en que el temblor del diálogo parece a punto de dejar escapar alguna cosa, pero sucede allí lo que en un bosque donde se oyera rumor de pasos, unas veces más cerca, otras veces más lejos, sin que aparezca nunca el caminante.

43

Una reiteración a modo de ululante ritornello corre a lo largo de sus páginas: Eduardo era el poeta y lo sería siempre con el sentir apasionado de una profesión de fe. Eduardo es el poeta, el de la torre de marfil, el del crepúsculo de Flandes, el que conversa con el río. Eduardo es el poeta y otro no habrá de serlo con su nombre. ¿Será ésta la razón de la sinrazón mantenida? ¿Habrá habido una especie de renunciación callada, velada, sutilísima, una suerte de abdicación de la cual no se enteró nadie, a un reino del cual nadie se enteró?

Rafael Marquina no fue poeta, no tuvo torre de marfil... Prefirió andar por los caminos de la tierra y aprenderles la lección de desasimiento y eficacia. Lección humilde que aprendió con doble orgullo: orgullo de español y catalán.

Así, henchido el corazón de ternura y respeto, no quiso sin embargo que pesaran sobre el hermano ni aun ese respeto y esa ternura. Se lo guardó en el pecho para verlo ascender gloriosamente hacia la alta estrella de su destino.

Muchos años después, ya la última vez que vio en la vida al poeta, ascendía también, decía adiós con un pañuelo blanco...

Antonio Maceo, Gertrudis Gómez de Avellaneda, Marta Abreu de Estévez le enamoran la pluma a Rafael Marquina, se la hacen temblar con esa vibración sutil y ligerísima de las agujas eléctricas dibujando el latir del corazón sobre una hoja de papel en los misteriosos electrocardiogramas.

No es fácil escribir sobre Antonio Maceo. Hay que sostener la mirada, que es como sostenérsela al sol. Pero Marquina se atreve a hacerlo y el hijo de Mariana Grajales –¡alguna vez han de llamarlo así!– pasa a caballo por el libro, lo deja estrujado, transido de su tremendo aliento, de su hermosura de héroe que sólo el bronce antiguo de Mirón o de Fidias sería digno de aprisionar.

Más tarde en el rosario de tempestades que es la vida de la poetisa egregia, los dedos de Marquina cobran agilidad para sostenerlas.

No salta cuentas como saltan renglones los malos lectores sino que las tantea con la finura, la precisión que cada una requiere hasta llegar a la cruz, fin de todo rosario y de toda vida.

No he visto en otro autor contar, con la sencillez y elegancia de esas páginas, que doña Gertrudis tuvo una hija sin haber doblado previamente la altiva cabeza en la coyunda matrimonial. Biógrafos timoratos pasan sobre el suceso por sobre ascuas o no pasan siquiera, lo soslayan con prudencia de avestruz.

Nada añade ni quita a la gloria de la poetisa ésta su única breve y dolorosa maternidad. Más bien creo que añade, y no por la calidad humana del hecho, que a ello no habré de referirme, sino sencillamente porque de mantenerse oculta no se podrían publicar tampoco las maravillosas cartas por ella escritas en trance de morir la criatura al padre que se negaba a serlo, tan desprovisto de sensibilidad y seso que no se dio jamás por enterado del privilegio que el destino malgastara en él.

Y si no se hubieran publicado esas cartas, el mundo se habría quedado sin conocer las que deban tal vez considerarse como las más hermosas, las más arrebatadoras y emocionantes cartas que en su áspero suelo se han escrito.

(1959)

FÉLIX VARELA, EL PRECURSOR

«Y TÚ, NIÑO, SERÁS LLAMADO profeta del
Altísimo, pues irás delante del Señor para preparar sus caminos y dar la ciencia
de la Salud a su pueblo».
Evangelio de San Lucas, Cap. I,
vers. 76 y 77.

* * *

NO SOY MUY DADA A SUMERGIRME en la Biblia, piélago proce-
loso donde tantos han naufragado, aunque desde luego la
he leído, íntegramente por lo menos una vez; más bien prefiero re-
leer algunos pasajes, ora por la recia y escueta belleza de su redacción, ora porque me gusta comprobar hasta qué punto cuadra su
espíritu a los tiempos modernos. Estas lecturas, aunque espaciadas
como he dicho, me han permitido entrever casi instintivamente a
nuestro Félix Varela en esa criatura a que se refiere el citado texto,
o sea, la que va por delante preparando los caminos para aquellos
que vendrán a traer la ciencia de la Salud a su pueblo.

Naturalmente, la salud se entiende aquí en un sentido figura-
do al modo usual del lenguaje bíblico, y sentado esto, nada nos
impide ver, en Félix Varela, al San Juan Bautista de nuestra epopeya.

Antes de él, puede decirse que no se tenía conciencia en Cuba de nuestra nacionalidad. Es él quien nos la descubre y nos la afirma con la credibilidad y el prestigio de su palabra, con su fe y con su sacrificio.

Sacrificio tuvo que ser, para esta alma sensible, el destierro y la persecución sufridos a causa de su misión. Sacrificio en verdad para este cubano de pura cepa, bien arraigado a su tierra, ultrasensible a todos los fríos, hecho al calor de sus discípulos, de sus amigos, de sus compañeros.

Es cosa singular, pero hasta él los cubanos parecen ignorar que son cubanos. Se creen españoles, habitantes de una región de España geográficamente alejada de ésta, pero siempre formando parte de ella. Solía decirse: «Cuba es la perla de la corona de España». Fueron malos gobiernos los que se encargaron de hacer las distinciones y así quedó bien establecido que los españoles de aquí no tenían los mismos derechos que los españoles de allá. Pero aun así se seguía pensando que éramos un miembro más de aquel gran cuerpo político.

Prueba de tal sentir la dimos con la valentía, la fidelidad y hasta la pasión puesta en la defensa de La Habana contra el ataque de los ingleses en el último tercio del siglo XVIII.

* * *

Sé que mi culto auditorio conoce sobradamente este episodio de nuestra Historia; pero siendo el objeto del presente trabajo demostrar que, paralelamente a este concepto de su pretendida nacionalidad, un espíritu de rebeldía alentaba siempre en el subsuelo de su idiosincrasia, me es imprescindible aunque sea esquemáticamente referirme a aquellos sucesos, así como a dos o tres más, menos trascendentales y menos difundidos, pero que en conjunto vienen a robustecer la hipótesis planteada.

Sabemos que la defensa de La Habana fue en verdad heroica: sabemos igualmente que los cubanos fueron los que más se distinguieron en esa defensa, pues aunque no llevaban la dirección de ella, tampoco peleaban por obligación, sino convencidos de que era su deber y su derecho arrojar de su suelo al soldado extranjero que lo invadía. Tuvo aquella gesta también sus adalides; el más famoso, Pepe Antonio, regidor de Guanabacoa, personaje semi-legendario a quien se dedicaron en su tiempo amplias loas y ditirambos.

Y como si aun aquel espíritu de cohesión fuera poco para probar su españolidad, ya caída la plaza en poder del enemigo, sus moradores se arreglaron para hacerle la vida imposible al invasor, tornando inútil el esfuerzo que éste hacía para ganarse la voluntad del pueblo.

El público se abstuvo de concurrir a los espectáculos, las damas renunciaron a sus paseos en volanta o en quitrín, y hasta la leche destinada a las tropas de ocupación, los campesinos la servían envenenada con yerbas ponzoñosas que conocían bien por su vecindad en los montes.

A tal punto subió el encono de la población que los ingleses no llegaron a permanecer más de nueve meses en tierra que les era tan hostil; al cabo de ellos optaron por retirarse y negociar con vista a otras tierras.

Si bien la más importante, esta aventura guerrera no constituye un hecho aislado, como veremos ahora.

Ya antes había surgido otro conflicto armado, esta vez contra las mismas autoridades coloniales, pero nunca contra España, a la cual no se culpaba de lo que hicieron sus mandatarios por aquí. Esto entra también —y en todo tiempo— en la psicología de las multitudes. Tal fue la cuestión llamada del «Contrabando».

Se dio este nombre a una negociación clandestina entablada por las gentes de las tierras costeras de Oriente con los piratas y corsarios que merodeaban por sus playas.

Como apunta un autor con mucha gracia, pronto comprendieron ambas partes que era mejor comerciar que pelear, y ya puestos de acuerdo, intercambiaban sus productos en tales tiempos muy valiosos por la carencia de los mismos. Así, pues, de las naves se descargaba trigo, vino, aceite, lienzos y a su vez éstas partían abastecidas de cueros, tabaco, sal y agua.

El contrabando era prohibido por el Gobernador o Capitán General de Santiago de Cuba y ello dio lugar a una revuelta de los perjudicados, que eran muchos, y por consiguiente a enfrentamientos armados.

Pero triunfaron, como era natural, los gubernamentales, y todo volvió a quedar como antes.

Aquello había sido como una cuestión suscitada en el seno de una misma familia, cuyos motivos no iban más allá de intereses afectados entre sus miembros. A eso se reducía todo.

Ya en el siguiente siglo, exactamente en 1717, surge otro levantamiento, esta vez más grave y más dramático: el de los vegueros de Jesús del Monte, extendido luego a otras zonas donde se cultivaba el tabaco.

Surge como consecuencia del llamado Estanco de esta hoja, o sea, la prohibición de venderla a otros que no fueran el gobierno de la península.

Esta prohibición o monopolio arruinaba a los cosecheros, obligados a vender sus productos a un solo comprador y, por supuesto, a bajo precio.

Victoriosos los vegueros en el primer año, logran que se levante el Estanco, pero, al siguiente, habrá de restablecerse, y así, tras seis años de lucha, la sublevación es sofocada y sus promotores ahorcados a la vera de los caminos.

Aunque, como se ve, la situación se va haciendo crítica, nadie piensa todavía que Cuba no debe pertenecer a España.

Pertenencia no sólo de hecho, sino de naturaleza, y por lo tanto, de manera incontrovertible.

Llegaremos a la conspiración de Aponte, ya entrado el siglo XIX, y el asunto de la nacionalidad nadie lo discute.

Se trata exclusivamente de una conspiración encaminada a liberar a sus víctimas del inhumano tráfico de esclavos. Es pronto descubierta y aplastada en sus inicios. Tampoco hay nada contra España.

Aunque sea sumariamente, no he creído ocioso, como ya dije, repasar estos levantamientos para que se vea que aun existiendo por naturaleza un espíritu de rebeldía, el sentido de integridad era tan fuerte en el cubano, que ni aun puesto en tales extremos le pasaba por la mente la idea de separarse de España.

Se viene a pensar cuando, a través de la palabra iluminadora de Félix Varela, se cae en cuenta de que realmente Cuba está muy lejos de Europa y aunque nacidos de una región de allá hemos venido a ser algo distinto, y ese «algo distinto» pudiera ser que somos otro país. Conclusión simple a la que no se había llegado todavía.

Nuevos factores vienen a activar esta especie de silogismo, pues, como suele suceder en determinados acontecimientos históricos, los que pudiéramos llamar sucesos concomitantes o desencadenantes se dan cita en una misma esquina de la Historia. Tal la independencia de las colonias españolas en nuestra América.

No la de las colonias inglesas en la del Norte, como se ha dicho alguna vez; eso en cierto modo pudo influir en los cubanos cultos, admiradores de las ideas democráticas importadas de Francia, pero a la masa del pueblo era todo tan ajeno como si sucediera en otro planeta.

Esa fue la raíz del fracaso de los pocos anexionistas.

Era la América Hispana la que nos encandilaba los ojos, era la tierra de esas gentes tan semejante a nosotros, con las mismas virtudes y los mismos defectos de nuestra raza y que además hablaban nuestro idioma. Nada une tanto como el idioma. Por el idioma nos pasamos cuatrocientos años unidos a una tierra que no conocíamos, y sólo ahora veníamos a comprender que se podía hablar la misma lengua y no pertenecer a España.

Cuando hablo de los factores desencadenantes que concurrieron en este despertar nuestro, debo citar también el de la misma nación progenitora.

Ésta, que siempre ha sabido reaccionar con coraje cuando de sus propias libertades se trata, revolvióse contra los franceses entrometidos, convocó las Cortes de Cádiz y promulgó la Constitución de 1812 prescindiendo de Fernando VII, prisionero de Napoleón. Soplan nuevos vientos liberales y, como es de esperar, allá va nuestro Félix Varela investido de su flamante toga de diputado. Ya puede abiertamente representar y defender a su país ante la madre patria.

No disponemos de ningún documento fehaciente que nos pruebe lo que dijo el Presbítero ya parlamentario en esas Cortes. Sin embargo, a nuestro amigo Eusebio Leal debo un dato importante, que es el de haberlo buscado personalmente, pero sin éxito, en los Archivos del Vaticano, donde debiera hallarse.

De todos modos, por tradición oral se ha repetido que centró su alegato en tres cuestiones importantes, de las que todavía se hablaba en voz baja: la primera, reconocer la independencia de las que fueron colonias españolas en Tierra Firme de América.

La segunda, conceder la autonomía a las provincias de Ultramar, Cuba y Puerto Rico. Y la tercera, la abolición de la esclavitud.

Y así llegamos a los años 1823 y 1829, en que afloran en Cuba los *Primeros* independientes. Y he aquí que casi al mismo tiempo y contradictoriamente por lo que parecía ser el curso de la Historia, en España ha caído la Constitución liberal, se ha repuesto en el trono al Rey y Félix Varela, que había votado su destitución, es condenado a muerte.

Tiene que huir para evadirla, pero su firma al pie del documento cívico habrá de representar un destierro que sólo acabaría con la muerte.

No volverá nunca a Cuba.

* * *

Félix Varela era hombre de fe. No sólo en su credo religioso, sino también en los destinos de su patria y en la bondad del hombre, aunque por el momento nada se lo confirmara.

No era por naturaleza hombre de dudas ni de vacilaciones: no era Hamlet, no era el Apóstol Tomás, nunca se debatió como San Agustín entre dos fuerzas antagónicas que por igual lo arrastrasen hacia opuestos rumbos. Ni siquiera tuvo –porque la perdió pronto– una madre como Santa Mónica, orante, martillando, empujándolo hacia Dios.

Varela no necesita que nadie lo empuje porque es hombre abroquelado en su fe.

La tiene, como ya se dijo, en la religión que abrazó voluntariamente y la tiene en la tierra donde nació, no por haber nacido en ella, sino porque cree conocer a sus hombres, conocerlos casi desde niños pues no olvidemos que es un Maestro y ser Maestro en la plenitud del título es ser también un forjador de almas. Por algo se ha dicho que nos enseñó a pensar.

«Aman más los conversos» –he leído alguna vez y, en efecto, grandes ejemplos nos citan en apoyo de la regla. Pero, como regla, puede tener también sus excepciones y sin duda hoy estamos ante una de ellas.

Desde los 14 años trazó Félix, adolescente, su futuro destino.

Huérfano de padre y madre, contesta al abuelo que le propone la carrera de las armas para que continuase en él la tradición militar de la familia:

> No, abuelo mío. Mi deseo no es matar hombres, sino salvar almas.

Palabras que no serían el resplandor de un instante, un deslumbramiento fugaz como el de la centella, sino que se mantendrían siempre vivas iluminando su vida a lo largo de ella.

Al cabo de muchos años oiremos decir al que así hablaba a su abuelo:

> Ni un sólo instante de mi vida me he arrepentido de ser eclesiástico y ha habido muchos en que me he gloriado de serlo.

Félix Varela, contrariamente a muchos religiosos de su época, no cree que su estado lo obligue a guardar fidelidad al trono.

Y no sólo no lo cree, sino que combate a los que tal sostienen, tachándolos de supersticiosos, atados, por un falso sentido del deber, al error: a lo que probablemente considera, sin decirlo, una suerte de fetichismo.

Nunca creyó que sus ideas políticas estaban en contradicción con su oficio de sacerdote, y aunque no empuñó nunca las armas ni predicó que las empuñaran, como Hidalgo o como Morelos, fue en realidad un sacerdote revolucionario.

Sólo que consecuentemente consigo mismo, fiel a su país, pero también fiel a su conciencia: no había nacido para matar hombres.

No se crea por ello que estamos frente a un contemplativo ni un elaborador de utopías; todo en él está regido por la razón, no por la acción violenta, sino la acción serena y persuasiva, la que pudiéramos llamar parlamentaria acaso, la misma que un siglo más tarde habría de emplear el místico hindú Mahatha Gandhi, para liberar su patria del poderoso imperio británico, como en efecto la liberó.

Varela tiene los pies bien puestos en su tiempo, y acaso un poco más allá. Implanta en Cuba por primera vez los métodos de enseñanza moderna, da sus clases en español, aunque, para que no se olviden del Latín, reserva un día a la semana para ofrecerlas en esta bella lengua. Sus lecciones son prácticas y experimentales, introduce en ellas crisoles, retortas, tubos de ensayo y adiestra en su manipulación a los alumnos, sin olvidar las clases de violín, pues debe haber de todo en la viña del Señor.

Para ser justos digamos ahora que probablemente Félix Varela no hubiera podido llevar a cabo estas reformas, verdaderamente extraordinarias para su momento y su lugar, de no haber contado desde el principio con el apoyo franco y decisivo del gran Obispo Espada.

Esta noble figura de nuestra Historia requiere por sí sola una monografía aparte que bien quisiera hacer algún día si los que me quedan alcanzan para tanto. Básteme por hoy el reconocimiento del papel preponderante por él desempeñado en la etapa que le correspondió regir.

Hora es ya de alcanzar a nuestro héroe en el destierro. Por muchos años habrá de ejercer su ministerio en tierras del Norte. No seguiremos sus fatigosos pasos por esos rumbos, porque no estoy haciendo su biografía sino sólo destacando los momentos cruciales de su existencia al resplandor de su propia luz; y aún más que eso, lo que busco es interpretar sus emociones, adentrarme, si posible fuera, en el hombre mismo y menos en su circunstancia; pero indudablemente fue allí ese ministerio harto difícil, por cuanto estaba en un país donde eran mayoría otras religiones, distintas entre sí, pero unidas contra él, a quien consideraban un intruso. Hoy día esas ideas han evolucionado, pero entonces eran las dominantes en el ambiente.

Oficiantes y prosélitos miraban con suspicacia al sacerdote extranjero y católico y ya se supone cuánto tuvo que sufrir a cuenta de esto y de la animosidad en que la suspicacia acababa por convertirse procurando por todos los medios desterrarlo aun dentro de su destierro.

Y lo que no consiguió el fanatismo de los hombres lo consiguió el frío, el frío inhóspito de Nueva York, ensañado también en el asmático.

Busca abrigo en el Sur, tras obtener Licencia, y lo halla en San Agustín de la Florida, pequeña comunidad donde habían transcurrido los felices días de su infancia.

Como ya la virtud cristiana de la caridad iba a ser la más hacedera para él, se refugia en ella y la practica más allá de los límites razonables.

Todavía en Nueva York, un día de extremo invierno, cual nuevo San Martín, se despoja de su capa y la da a un menesteroso carente de ella. Pero San Martín divide la suya en dos, ofrece una mitad y conserva la otra para sí. Nuestro Félix Varela da entera su capa.

¡Qué distinto ya este hombre al del retrato que nos lo muestra en la flor de la edad, plácido, sonriente aun sin asomarle la sonrisa a los labios, con sus lentes de miope que apenas velan la alegre llama de sus ojos!

¡Qué distinta, sí, esa imagen a la presente en que sólo vemos un rostro flaco, arrugado prematuramente, mustia la melena y mal cortada!

¡Si algún día pudiera volver a Cuba!

Y con el pensamiento se trasladaba al patio soleado del Seminario de San Carlos, lleno de risas juveniles cuyo eco interrumpía a veces sus sesudas lucubraciones! Entonces le molestaba la interrupción y ahora, ¡cuánto diese por volver a oirla!

Y las cartas de allá se hacen cada vez más espaciadas; la sensación de lejanía se va ahondando en su alma.

¿Cuándo empiezan a comprender los que se van que los que se quedan los van olvidando?

¿Lo percibirá el Maestro exiliado?

Los años pasan cada vez más lentamente sin que nada ocurra y él se arrima al rescoldo de los libros, a la ilusión de que aún le queda un discípulo... Y así surgen las *Cartas a Elpidio*.

Este gran monumento epistolar pudiese titularse «Cartas de la Nostalgia», sólo que como en el autor todo sentimiento e idea se traduce en función de apostolado, la nostalgia no se queda en esa cosa vaga y nebulosa, sino que le sirve para extenderse en profundas meditaciones sobre filosofía y alta política.

Ábrase el Tomo II por la hoja 64 y se verá con qué agudeza trata de las relaciones entre gobierno y pueblo; o búsquese el Tomo I y, en las hojas 44 y siguientes, nos ofrecerá un conceptuoso análisis sobre el origen de los reinos para terminar en la 55 tratando de las cruces usadas en las condecoraciones. El estilo tórnase entonces incisivo, digno de los más sutiles ironistas franceses.

Me abstengo de reproducir aquí el texto de estas citas porque ello haría harto extenso mi trabajo que por otra parte tampoco pretende ser obra de erudición.

No sabemos que estas cartas hayan tenido alguna vez contestación, siquiera fuese ocasionalmente. Parecen depositadas en el buzón del silencio, como diría Oliver Belmás. Y a pesar de ello siguen escribiéndose interminablemente y el adverbio no es metáfora porque en efecto nunca se terminarán. De los tres tomos en que iba a agruparse, el tercero queda sólo comenzado.

El que escribe cree en Dios firmemente, casi matemáticamente, haciendo bueno el dicho de que mucha ciencia acerca a Dios, y poca ciencia aleja de él. Ciencia y religión son sus dos amores, y no sólo dos amores compatibles sino que uno se afianza en el otro.

Sólo difieren los modos de comunicarlos: la ciencia hay que imponerla, es necesario erradicar la ignorancia, fuente de tantos males: la religión, por el contrario, requiere tacto, paciencia, discreción. Cuidemos de no fatigar a quien se dispone a escucharnos.

Y así dice a Elpidio:

«Si quieres ver a un joven sin religión, háblale siempre de ella».

¿Y quién es Elpidio?

Esta pregunta se la han hecho a lo largo de los años, y como en estas dos últimas centurias hay la tendencia a materializarlo todo, los exégetas de Félix Varela ya han apuntado los posibles nombres: algunos mencionan a Luz Caballero, otros a Saco o a Del Monte. No falta quien amalgame estos tres personajes en uno solo, ni quien deseche los tres y busque uno nuevo.

A mí me parece, sin embargo, que el tono de las cartas, no exento de ciertos modos didácticos, de un como aire protector, no mueve a pensar en el grave y sentencioso Luz Caballero, ni en el reposado Del Monte, el del galano estilo.

Menos en Saco, más lejos de él en la distancia y acaso ya en el modo de ver los problemas de Cuba.

Tal vez se trate de un joven y fino poeta; Zequeira, o Mendive, el futuro maestro de Martí.

Elpidio parece un ser susceptible de ternura. Obsérvese el uso frecuente del posesivo «mi», aunque desde luego sabemos que éste es un giro muy del gusto de las gentes de su tiempo. De todos modos, se nos presenta en ellas como una criatura todavía inexperta en las lides de la vida, a quien hay que guiar, alertar, conducir, a fin de que haga lo mismo con otros a su hora.

Personalmente, me inclino a creer que Elpidio no existió nunca, sin pretender tampoco que esta teoría sea original.

Pero ella no me lleva, como ha llevado a otros, a la conclusión de que su envoltura imaginaria se deba sólo a que el estilo epistolar era el que estaba en boga por esa época.

Habría que profundizar más en la incógnita que se nos ofrece, no dar el caso por resuelto tan superficialmente. Tal suposición, sin ir más a fondo de ella, nos dejaría en un plano de frivolidad, de mundanidad, del todo ajeno al autor de las *Cartas*.

No es tan difícil ir un poco más lejos, suponer por ejemplo que el Maestro desterrado sienta la necesidad de inventarse un discípulo, un coloquio que venga a animar un poco el silencio que lentamente lo va cercando.

Y entonces Elpidio no será más que un fantasma habitador de ausencias y soledades. Poco, pero siempre algo más que nada.

Y también llegará un momento en que las *Cartas a Elpidio* habrán de interrumpirse. El que las escribe está casi ciego y casi inválido.

A un antiguo alumno que lo visita y se asombra de no hallar en torno suyo ni pluma, ni tinta, ni papel, le contesta:

Ya no puedo leer ni escribir.

Si para ser un santo habría de sufrir algún martirio, creo que éste lo fue. No se imagina otro peor para un hombre de letras.

Ya no puedo leer ni escribir.

Las palabras se le irán enmoheciendo como trastos viejos, abandonados en un desván.

Las ideas, los conocimientos ya no utilizados se le irán durmiendo, descendiendo al fondo de la memoria y allí se quedarán sumidos en la sombra, inertes, sin destino.

No podrá comunicarse con los amigos lejanos ni con los que fueron sus discípulos, sus hijos del espíritu. Y como el silencio engendra silencio, ellos tampoco intentarán el diálogo, que ya no sería diálogo sino monólogo.

¡Ya no puedo leer ni escribir!

¡Qué soledad la suya, qué soledad la de este hombre que nunca fue un solitario, que siempre buscó la compañía de sus semejantes, el intercambio de las ideas, el calor humano!

Y si todavía estuviera en su tierra, la soledad no lo sería tanto: siempre habría amigos que vendrían a visitarlo, compañeros de sacerdocio, antiguos alumnos.

Aquí, cierto es, no le falta asistencia para sus mínimas necesidades físicas; no le falta y las agradece; pero aun así, debidas sólo a la compasión de un extraño.

Pero nadie piensa que él necesite la expresión de algún afecto, de alguna simpatía: ¡En ese país, la gente anda siempre con tanta prisa! No hay tiempo de conversar, de que le lean los periódicos para saber si traen alguna noticia de Cuba, y si no lo hay para leer, menos lo habrá para escribir, que otros le escriban lo que todavía él pudiera dictar.

Y ya él no puede leer ni escribir.

Ya lo único que puede es esperar la muerte. Esperarla y orar noche y día hasta que las palabras repetidas en el silencio vayan perdiendo su carga emocional, su sentido, sus relieves...

¡Cuánta desilusión en ese «Ya no puedo leer ni escribir»!

Y dicen que no se queja: pero, ¿habrá en cualquier lamento más amargura que la expresada así, sin adjetivos, sin hipérbole, sólo en media docena de palabras?

Y así ha de morir este santo de América, en suelo extranjero, auxiliado sólo por un extranjero, olvidado o casi olvidado por los suyos, que cuando acuerdan enviarle algún socorro éste llega tarde y sólo servirá para hacerle un sepulcro.

¿Alcanzó siquiera en los finales de su existencia a vislumbrar los frutos de su palabra esclarecedora?

No lo sabemos. Yo, por lo menos, no poseo ningún dato que lo permita presumir.

Probablemente fue su suerte la misma de casi todos los precursores: sembrar y no recoger.

Murió en el año en que nacía Martí.

Pero dejó los caminos preparados.

(1988)

ENRIQUE LOYNAZ,
UN POETA DESCONOCIDO

E SCRIBIR SOBRE MI HERMANO ENRIQUE, como poeta y como persona, ha sido tal vez la tarea más ardua en mi vida de escritora, y si hoy me dedico a hacerlo ha sido por la esperanza de que mi esfuerzo propicie algún día la publicación de su obra. Sin embargo, no haré de ella un juicio crítico: quede esa labor para otros en su día. La fragilidad, por decirlo así, del material tan poco material en que tendría que moverme, inhibe en mí todo intento de exploración. Adentrarse en la poesía de Enrique Loynaz es traspasar las fronteras de la realidad y el sueño, con todos los riesgos que ello conlleva en el tiempo en que nos ha tocado vivir. Por otra parte, éste fue un poeta que escribió para él solo. Nunca quiso publicar nada, a pesar de los reiterados ruegos que en tal sentido se le hicieron. Esta actitud mantenida a lo largo de su existencia imprime una extraña aura de desasimiento a todos sus poemas. Da la sensación de que escribe en una isla desierta.

De tarde en tarde pasan sombras que no llegan a plasmarse, hayan tenido o no corporeidad física. Cuando esto ocurre, su palabra puede tomar un sesgo levemente epigramático como en los tres Salustios o en el García, personajes desvaídos que en efecto existieron en el acaecer cotidiano. Pero las más de las veces esa palabra no toma rumbo alguno, se diluye en una suerte de delirio onírico. Así en *Los poemas del amor y del vino*. Empero, por mucho que haya tratado yo de no romper esa especie de música cristalizada o cristal delicuescente, ese diálogo sin interlocutor posible tendría siempre que pasar por la poesía si quería llegar hasta el poeta. Debo ir a buscarlo en los primeros recuerdos, porque a través de ellos empieza a dibujarse el ser futuro. Esta búsqueda me es posible porque comenzamos la vida juntos, apenas con un año de diferencia entre los dos.

No obstante, la identidad de mi hermano me resulta muy confusa en aquellos tiempos. Pese a la precisión con que recuerdo los paisajes de nuestra remota infancia, siempre lo veo a él como una prolongación de mí misma, algo así como mis largas trenzas de chiquilla o la cadenita de oro que llevaba al cuello. No puedo explicarme bien esta absorción que hacía yo de su persona; él pensaba siempre lo que yo pensaba o tal vez no pensaba nada. Se limitaba a seguir mis pasos, a jugar mis juegos, a repetir mis palabras. Necesito llegar a un episodio tragicómico para presumir más o menos el momento en que mi hermano Enrique empezó a existir. Existir para mí, quiero decir, porque hasta ese instante no caí en cuenta de que él podía tener también su existencia propia. Y entonces, no de manera muy halagüeña para él. Fue en ocasión de los carnavales. Nuestra madre, artista del pincel y de la aguja, había confeccionado un trajecito de bailarina y otro de payaso que habríamos de lucir los dos en el clásico paseo de los coches. La confección se llevó a cabo sin permitirnos el acceso a ella pues la ilusión materna era darnos también una sorpresa.

Llegó el día esperado y yo me vestí encantada el precioso atuendo hecho de gasas y flecos de cristal; pero he aquí que cuando el pequeño Enrique quedó enfundado en su disfraz, tornóse intensamente pálido, se llevó ambas manos al pecho y rompió a llorar amargamente. Nadie se explicaba lo sucedido: solícitos buscaron alfileres que pudieran pincharle, insectos capaces de deslizarse por las costuras. Nada, no aparecía nada. Y el niño no acertaba a hablar, pero la expresión de terror se hacía por minutos más potente en su descompuesto semblante. Fui yo quien explicó el caso, sin duda hecha todavía al pensamiento correlativo entre los dos.

—Tiene miedo —dije—, tiene miedo de su traje.

Y en efecto, así era. Nuestra madre había pintado en lo que hacía el delantero de la blusa un gran sol a la manera que gustaban los antiguos de representarlo, esto es, con rasgos humanos, y lo había hecho, según parece, con harto verismo, pues aquel rostro ceñudo, rodeado de rayos, resultaba, a la verdad, un tanto impresionante. Desvistiéronle el traje y los sollozos del asustado niño fuéronse aplacando. Entonces, mi madre, que no se decidía a renunciar al proyecto de lucir a su lindo varón con aquella obra de sus manos, le dijo para infundirle ánimo y estímulo.

–Vamos a vestirle el disfraz de payaso a tu hermana para que veas qué bonito es y cómo ella no llora.

De momento no me agradó mucho la idea, pero me presté valiente al simulacro. Y sucedió que luego cuando quisieron quitármelo para probar de nuevo con mi hermano, fui yo la que se opuso con firmeza.

–No –dije–, ahora el traje es mío porque él ha tenido miedo y yo no. Él llora y yo no lloro. Él no es igual a mí.

La escisión acababa de producirse. Es muy curioso que fuera el sol la primera cosa que asustó a mi hermano en este mundo, una de las pocas, si no la única que lo asustó.

Pienso ahora si aquello fue un presagio, fue como un signo que lo marcaba desde tan temprana edad, que lo destinaba a huir siempre de la luz. No quiso el sol en su pecho, no lo quiso en su vida, ni lo quiso en su obra; prefirió quedar en la sombra, contento de ver brillar a otros, de que no le impusieran ropajes que si ya no le infundían miedo, por lo menos seguían pareciéndole molestos. ¿No le infundían miedo? De esto no estoy muy cierta. Ni de que no me lo infundieran a mí también, aunque, si bien algo tardíamente, logré más adelante sobreponerme a esa sensación.

Era Enrique, éramos los cuatro hermanos unos muchachos tímidos y al mismo tiempo orgullosos, que es una mala mezcla para empezar la vida. Lo que no nos vedaba la timidez, nos lo vedaba el orgullo, de forma que todo o casi todo nos estaba vedado. Cuento aquel pequeño incidente en colecta de datos que me ayudan a hurgar en esa modalidad suya y nuestra cuyo origen siempre será difícil de explicar. Nos transcurrió la niñez y la adolescencia en un ambiente de clausura, rodeados de solícitos afectos, de cuidados excesivos en los que había un como afán de preservarnos de vagos peligros, de mantenernos lejos del oleaje del mundo. ¿Influyó ello en la voluntaria clausura en que a su vez quisimos luego mantener nuestra obra? ¿Por qué no quiso Enrique dar la suya a la luz? ¿Por qué no lo quisieron mis hermanos y yo misma permanecí reacia a hacerlo muchos años hasta que otra voluntad más fuerte que la mía consiguió doblegarla? En cuanto a él, puedo afirmar que no era falta de fe lo que lo impulsaba al retraimiento. Estaba muy seguro de lo suyo, de que lo hecho por él respondía al canon de belleza que se había trazado, y muy seguro también de sus cualidades de asceta. ¿Modestia acaso? Alguna vez se ha dicho eso y cabe la posibilidad. Sin embargo, no acabo de verlo en ese plano. Era sencillo en su trato, pero lo era naturalmente y siempre con un innato señorío. Por otra parte, creo que desdeñaba un poco las virtudes caseras. No es improbable que contara la modestia por una de ellas.

Pero volvamos a los días de niñez, ya que como aseveran los sabios, éstos han de pesar tanto y siempre en los días futuros. A partir del lamentable suceso del disfraz, empecé a ver a mi hermano como a un ser aparte, siempre junto a mí, pero de una manera diferente a como había estado antes. Y así muy pronto caí en cuenta de que no sólo constituía un ser aparte, sino también enteramente distinto a mí. Él era dulce, pacífico, paciente, un poco ensimismado; yo era áspera, violenta, dominante. Él era manso, y yo era batalladora. Él, cándido y yo bastante avispada. Otra cosa muy singular venía a acentuar las diferencias: mientras yo aprendía con gran facilidad cuanto se me enseñaba y hasta lo que no se me enseñaba, Enrique mostraba una extraña incapacidad para asimilar conocimientos. Tenía nueve o diez años y no sabía leer ni escribir. No había modo de introducir en su cerebro siquiera las primeras letras.

Nunca fuimos a colegios, pero maestros y maestras por docenas venían a instruirnos a la casa. Este despliegue de actividades pedagógicas era inútil con Enrique y así lo manifestaron, uno tras otro, los fracasados profesores, en vista de lo cual tomó a su cargo nuestra abuela la difícil misión. Pero no era la abuela un dechado de paciencia y la única vez que oí en mi casa una palabra bastante gruesa fue en una de aquellas clases. La había arrancado de sus coléricos labios la cerrazón de mente de mi hermano, imposibilitado hasta de deletrear. Más tarde él me explicaba que todo había dependido de un pequeño error inicial: él no creía que había que deducir sino que adivinar. Creía que le proponían acertijos y naturalmente no atinaba nunca. Sea como fuere, lo cierto es que por entonces se determinó consultar el caso con un médico. No era lo que se llama hoy psiquiatra porque entonces no florecía su ciencia como ahora, a lo menos en Cuba; pero sí se trataba de un doctor con larga experiencia profesional y humana, dotado, por lo que se vio después, de un certero ojo clínico.

Nuestra abuela empezó por decirle que el niño había nacido con la cabeza muy grande, tanto que cuando se lo mostraron no pudo evitar prorrumpir en llanto, pues creía que aquel nieto «le había salido un fenómeno». Agregó que los otros hermanos eran niños normales, tal vez muy inteligentes para su edad, y era éste el que constituía un problema. No sé qué tipo de examen le haría el doctor, pero su conclusión, no muy ortodoxa, fue la siguiente:

–Tranquilícese señora, esta criatura lo que tiene es la inteligencia dormida. Cuando despierte verá que deja atrás a sus hermanos.

Y antes del año se había verificado el vaticinio. Siguió siendo un chico endeble, todo ojos, pero puede decirse que de sus once a sus doce abriles aprendió todo cuanto sabíamos nosotros, que era bastante más de lo corriente en niños de esa edad, y aun nos aventajó en varias materias. Una vez que aprendió a leer, devoraba cuanto libro caía en sus manos y, lo que es mejor, retenía cuanto leía, cualidades ambas que le acompañaron hasta el final de su existencia. Entrar en el mundo de los libros fue para él explorar un planeta desconocido y deslumbrador, sentirse de golpe transportado a él, por encima del tiempo y del espacio. Lo recuerdo por esos días con un aire de sonámbulo, absorto en su descubrimiento, olvidado de cuanto le rodeaba. Yo observaba con un vago recelo la nueva fase por la que él iba atravesando. Sin duda, Enrique se me escapaba un poco, no dependía en todo, como antes, de mí. Ya en el cine no necesitaba que le leyera los letreros y hasta empecé a echar de menos sus preguntas, que en otros tiempos eran tantas que se me hacían fastidiosas.

En aquella época dormíamos todavía en la misma habitación, donde se habían dispuesto las dos pequeñas camas de modo que ambas se tocaban por las pieleras. Mi hermano consiguió que le instalaran junto a la suya una lamparita de pie en el velador para poder seguir leyendo después de recogerse. Este placer no le duró más que una noche: cuando yo vi que la lectura se prolongaba hasta cerca de la madrugada con aquel resplandor frente a mis ojos, decidí que el caso no se repitiera ni una vez más. Al día siguiente tomé la lámpara y la arrojé por el ojo de patio que daba a las caballerizas. No hubiera sido menester el gesto de violencia porque Enrique, a pesar de sus progresos en la sabiduría, no había dejado de ser dócil y gentil conmigo. Hubiera bastado una suave queja, un simple ruego para que de inmediato renunciara a su lectura nocturna. Pero no estaba en mi carácter quejarme o suplicar: y es probable que yo juzgara conveniente hacerle ver con tal desplante que su hermana seguía siendo la más fuerte. «Más fuerte que el ciclón», como solía antes –también innecesariamente– amenazarle para lograr pronto la satisfacción de un capricho.

Las conmociones de la adolescencia no alteraron aquella paz interior que ya nunca habría de perder, cualesquiera que fuesen las circunstancias en que lo colocara su destino. Era una paz —también debo decirlo— un poco fría, un poco distante que acaso por eso mismo no alcanzaba a traspasar a otros. Hay quien no teniendo paz en sí mismo, ejerce sin embargo una influencia serenadora en torno suyo. En él se daba el caso a la inversa y en más de una ocasión vi gente impacientarse precisamente por la calma con que afrontaba situaciones que hubieran hecho perderla a los demás. Era noble de índole, aunque a veces lo asaltaban extraños caprichos que nosotros calificábamos de crueldad, como amarrar un perro a la pata del piano y así obligarle a oír toda la partitura de una ópera que había compuesto y cuya duración era de cuatro horas (tal fue el espanto del animal que, una vez suelto, huyó de la casa y no regresó a ella sino al cabo de ocho días, con la consiguiente consternación de la familia).

En ocasiones el capricho no se concretaba a los seres irracionales, obligados a sufrirlo, y parecía divertirse encolerizando a algunas personas sin razón ni animadversión previas, entre ellas a la hermana menor que tenía el genio vivo y por lo demás sabía defenderse. En otras afectaba poses de epicúreo con ribetes mefistofélicos «pour épater les bourgeois» y a veces hasta a los no «bourgeois». Así vemos que nuestra gran amiga de esa época, María Villar Buceta, le dedica unos versos publicados en la revista *Social* donde lo ve «a un tiempo cándido y perverso», uniendo «la humildad franciscana a su soberbia de creador» y en definitiva «más allá del bien y del mal». Convengo en que existieron estos cultivos paradójicos, y digo cultivos por lo que tenía de artificial en su naturaleza: eran algo así como lagunas esporádicas en las que su bondad original siempre acababa por salir a flote, nos lo devolvía en su verdadera identidad.

¿De quién que no fuera un gran bondadoso, un cristiano auténtico podría contarse el breve pasaje que aquí voy a anotar? Viajaba en compañía de sus hermanos por el sur de los Estados Unidos: guiaba él mismo el automóvil y, al atravesar una populosa ciudad, tuvo que detenerlo al cambio de la luz verde por la roja, en el momento en que un joven negro salía de un bar dando traspiés... Acercóse éste a la portezuela a cuya vera iba Enrique y sin mediar motivo comenzó a insultarle. Seguidamente, uniendo la acción a la palabra, le dio un manotazo en el rostro. Enrique soportó sin turbarse la doble afrenta y una vez repuesta la luz verde, puso en marcha su vehículo como si nada hubiera ocurrido. Tal actitud dejó a todos estupefactos: sabíamos que nuestro hermano, por encima de sus delicadezas, era hombre incapaz de dejar sin castigo una acción semejante. ¿Cómo explicar, entonces, aquella inhibición de los más naturales, instintivos impulsos? Flor, nuestra benjamina, fue la primera en reponerse y, siempre impetuosa, lo increpó duramente; le preguntó si era preciso que ella, mujer, tuviera que salir en su defensa.

–Ni tú ni yo –respondió él con aquella flema que nunca le abandonaba–. No necesito defensa alguna. Al que hay que defender es a ese pobre borracho. Imagina lo que hubiera sucedido si se promueve un escándalo con motivo de haberle pegado a un hombre blanco...

Hablaba antes de su adolescencia que fue también la nuestra, pues nos seguíamos uno a otro con intervalos de sólo un año o a lo sumo dos. Fue aquella época de nuestra iniciación en la poesía: yo no me resignaba todavía a declinar mi papel de líder y fui naturalmente la que abrió el camino. No tardarían mis hermanos en seguirme. Me es difícil fijar ahora las raíces de esa vocación: sé que ella coincidió con un suceso trágico en la familia al cual no habré de referirme ahora, suceso que si no fue el origen, bien puede considerarse lo que llaman los psicólogos un factor desencadenante. A decir verdad, yo había hecho versos antes de cumplir los diez años, pero tan malos ciertamente, que pronto fueron olvidados con gran descanso de mi ánima. No hay, pues, que buscar por ese lado. Nacidos en un ambiente artístico, no era sin embargo la poesía la flor más cultivada en el vergel hogareño: antes estaban la música, el dibujo, la pintura.

Nuestra madre, como ya he dicho, era habilísima en distribuir líneas y colores: pintaba delicadas figuras de santos, paisajes como soñados, sacados sólo de su imaginación, cuadros éstos que nunca dejó salir de su casa porque su modestia era verdaderamente genuina. También cantaba y se acompañaba al piano con una voz dramática digna de resonar en un teatro. Nuestro padre era el autor de la letra y la música del *Himno Invasor,* un himno bello entre los bellos. Era asimismo un orador de los que arrastran a las muchedumbres; no necesito yo decirlo porque esos dones –contrariamente a los de mi madre– a su hora se hicieron públicos. Y si bien los trajines de la guerra primero y de la paz después, no le dejaron tiempo para detenerse en las bellas letras, cuando escribía lo hacía en buena prosa y alguna que otra vez en versos no tan buenos. Ahora reconozco que aun sin hacerlos bien, no le faltaba agudeza para juzgar los ajenos –agudeza y conocimientos–, no común ventaja de la cual en nuestra incipiente vanidad no supimos aprovecharnos. He llegado a figurarme que por esconder los nuestros de él, que tenía la manía de enmendar, los escondimos de todo el mundo. Éstas eran pues las condiciones en que debería gestarse nuestro afán poético y dar luego sus frutos más cumplidos.

En principio fue la música lo que nos apasionó. Era la que estaba en el aire que respirábamos y además la más asequible a mentes vivas en formación. En compañía de los primos que también habían heredado de la madre, hermana de la nuestra, estas aficiones líricas, llegamos a formar una pequeña orquesta familiar que no estaba mal del todo. Después, sólo nuestro hermano Carlos Manuel persistió en aquel rumbo; sus incursiones poéticas fueron breves, extrañas y esporádicas, bien que muy ponderadas por los pocos que las conocieron, entre ellos Juan Ramón Jiménez y Lorca. Yo sigo pensando que su verdadero reino era la música. Ya desde sus primeros años dominaba el piano y andando el tiempo se hizo un consumado ejecutante en el cual granaba ya un original compositor. Si estas aptitudes no llegaron a trascender se debió a la traidora enfermedad que lo sorprendió en plena juventud y que agotó sus fuerzas creadoras. Acaso fue una cuerda, un arco, que se tensó demasiado. Pero no puedo dejar de preguntarme si aun sin presentarse esa desgracia, no hubiera sido lo mismo. Creo que no era Enrique el único en sentir miedo del sol.

Volviendo a este último, diré que aquellos inicios filarmónicos influyeron en la poesía suya y también en la de mi hermana Flor. Ambos conservaron siempre como una música, latente dentro del verso, que no dependía de metros ni de rimas; una cadencia sutilmente melodiosa que el mío perdió muy pronto. Es también detalle digno de mencionarse que jamás haya habido influencia de uno sobre otro. Mis hermanos me seguían en el quehacer poético, pero hasta ahí nada más. Luego cada uno tuvo una manera distinta de expresar su mensaje. Digamos que la de Enrique fue la manera más pura y su mensaje el más alto: era un mensaje dirigido muchas veces a Dios. No fue un poeta religioso, sino un poeta místico, que es cosa muy distinta. Muy distinta y muy ardua, y en nuestros predios casi única.

El tío Arturo, alto, flaco, envarado, había servido en la carrera diplomática muchos años, buena parte de ellos transcurridos en París. Era todavía joven, pero parecía mayor por el empaque europeo del que no abdicaba nunca y a nosotros nos divertía bastante. Decíamos que era un tío almidonado. De regreso a la Patria solía visitarnos y recitar largas tiradas de versos en francés. Lo hacía con cierta gracia. Tenía una bien modulada voz de tenor y una pronunciación perfecta de ese idioma que tiende a halagar el oído, a atraer suave, melosamente al incauto que escucha. Fueron así los poetas franceses los primeros en deslumbrarnos. Rimbaud, Verlaine, Baudelaire, se convirtieron pronto en nuestros maestros amadísimos. Puedo decir que los amamos con la fuerza del primer amor. Nuestra hermana podía recitar de memoria el *Cyrano* completo; yo soñaba con traducir nada menos que a Racine y a Corneille. Creo que en Enrique quedó algo de esta primera embriaguez: sobre todo Rimbaud, poeta adolescente como él lo era en esa etapa, debió de teñir de etéreos grises su lirismo inicial que ya podía, sin embargo, calar más hondo que el del francés. Decir que Rimbaud influyera en un poeta de aquel tiempo ya se sabe que no es descubrir el Mediterráneo; pero que la semejanza se dé no sólo en la edad y en el estilo, sino también en el destino, es ya añadir un elemento nuevo y más que nuevo, ensoñadoramente mágico. Como el pintor de las vocales, Enrique dejó morir su musa cuando el estío apenas seguía a la primavera...

Fue más tarde que aparecieron Juan Ramón y Lorca: ya habíamos trocado a los Parnasianos y los Simbolistas por los clásicos españoles, menos sutiles, pero más jugosos, y compartíamos, en saludable compañía con los bardos orientales. La oscura y a la vez luminosa palabra de Rabindranath Tagore nos tuvo mucho tiempo como en éxtasis. A pesar de que se ha dicho más de una vez, no creo que los dos insignes andaluces hayan podido añadir algo a una poesía ya filtrada por siete tamices. Ya estábamos muy maduros, muy resueltos a ser nosotros mismos con aquella altivez y aquel pudor que habría de convertir nuestra obra en el Hortus Conclusus de la Epístola. A ellos los supimos comprender y admirar cuando ambas actitudes no constituían, como fue después, un tributo obligado, una especie de iniciación en la intelectualidad. Los dos honraron con frecuentes visitas nuestra vieja casona del Vedado, y en particular Federico, que en su estancia en Cuba llegó a ser casi un constante huésped de ella. En cuanto a este último, mi hermana me ha contado cómo fue su entrada en nuestros predios. Lo supo de labios del mismo Lorca, pues Enrique lo calló luego con cierto pudor muy explicable en este caso.

No sé cómo, se habían publicado en España algunos versos de nuestro hermano, y Federico García Lorca, sin conocerlo aún, le escribió enseguida con aquel entusiasmo generoso que era una de sus virtudes cardinales. Así se inició una breve correspondencia entre ambos, y digo breve porque muy pronto habría de venir a Cuba el poeta español, y uno de sus primeros pasos sería buscar en su casa al poeta cubano. Para ello no creyó necesario observar fórmulas establecidas: un buen día se presentó allí sin anunciarse, muy de mañana aún, pues Enrique tuvo que abandonar el lecho, envuelto en una bata y medio dormido, para recibirle. Pero no sabía de quién se trataba: casualmente ese mismo día tenía citado a un señor para firmar un contrato y, advertido el portero, lo condujo enseguida a su presencia. Uno y otro vieron la persona esperada en el temprano visitante. El documento lo había redactado Enrique mismo con sumo cuidado, pues debo decir que ya los dos éramos letrados en ejercicio. Cómo llegamos a eso se verá después. Cruzados los buenos días, Enrique, que no era de muchas palabras y se hallaba siempre un poco más allá de donde se hallaba, tendió al recién llegado el documento de referencia diciendo:

—Lea y firme.

Lorca no perdió tiempo en leer, pero a cambio firmó como la cosa más natural del mundo.

—Debió haber leído primero —añadió Enrique algo contrariado—, pues hubo que hacer una enmienda en la segunda cláusula de acuerdo con lo que ayer hablamos por teléfono.

—Yo nunca he hablado con usted por teléfono —interrumpió el supuesto contratante.

—¡Cómo! —exclama el otro— ¿Usted no es el señor Saturnino Pestonit?

—Yo nunca he sido el señor Saturnino Pestonit.

—Entonces, ¿por qué firmó este papel?

—Porque usted me mandó a firmarlo...

—Acabemos de una vez: ¿quién es usted?

—Yo soy Federico García Lorca.

Enrique se llevó las manos a la cabeza y dijo:

—¡Me echó a perder el contrato!...

Pese a este primer tropiezo, una estrecha amistad, una alegre camaradería unió al poeta granadino con mis hermanos; como ellos, tenía él un agudo ingenio, un fino sentido humorístico del cual fui yo, más de una vez, sonriente víctima. Cuando Juan Ramón Jiménez, en un artículo publicado en la revista *Sur* de Buenos Aires, narra un poco arbitrariamente su primer encuentro con nosotros, al referirse a Enrique lo llama «el Enrique Loynaz de Chacón y Lorca». Y luego agrega: «ya sé de dónde le salió a Lorca aquel delirio último de su poesía». Resulta algo incongruente el hecho de que en medio de aquella atmósfera poética, de aquella —casi hay que apelar a este vocablo— transfiguración del vivir cotidiano, pudiéramos estudiar los dos la carrera de abogado y hasta ejercerla con mediano éxito. No hubo, huelga decirlo, vocación propia en el asunto. Fue un acto de disciplina familiar. Sucedió que, sin perjuicio de su temperamento artístico, doña Mercedes Muñoz Sañudo estaba dotada de un gran sentido práctico. Y aunque veía con agrado los entusiasmos líricos de su prole, y por otro lado nuestra posición en el mundo no exigía preocuparse en demasía por el porvenir, ella de todos modos estimaba que cada uno de nosotros debería cursar una carrera universitaria, dejándonos, eso sí, la facultad de elegirla. Y como ninguna nos gustaba mucho, optamos por la que nos pareció más breve. Ésa es toda la historia de nuestra abogacía, que tanto habría de sorprender más tarde a los que nos conocieron. No resisto sin embargo a la tentación de transcribir una anécdota concerniente a las primicias profesionales de mi hermano.

Se trataba de la construcción de una nave efectuada en parte de una manzana del Vedado que, según el colindante, se había corrido unos cuantos metros dentro de los terrenos de su propiedad. Discusión de poca monta, pero que, como la gente tiene el afán de pleitear, se llevó hasta la Audiencia. Enrique representaba a una de las partes; hasta ese momento sólo había ejercido en los juzgados y por primera vez iba a ensayar sus armas en Tribunal de más alta alcurnia. No diré que estaba nervioso porque nunca lo vi en ese estado, pero sí pasó muchos días encerrado en su despacho componiendo el informe que debería presentar en la ocasión. Yo sentía la natural curiosidad por saber qué era lo que le llevaba tanto tiempo, ya que, a mi parecer, el caso no lo requería; pero conociendo su modo parsimonioso y reconcentrado, me guardé de distraerlo con preguntas. Llegó el día de la vista y acudimos los dos con nuestras flamantes togas, muy serios y tal vez ligeramente emocionados. Como letrada que también era, tomé asiento al lado suyo en los estrados y tras los formulismos de rigor, que se me hicieron interminables, al fin lo vi ponerse en pie con aquella larga veste de seda negra que acentuaba más la delgadez de su figura y la marmórea blancura de su rostro.

Empezó a hablar y, con gran sorpresa de los presentes, vimos que se remontaba a los orígenes del Vedado: evocaba las incursiones de los piratas acercándose por aquella parte de la costa, desembarcando por las bocas del Almendares, siguiendo luego el sendero abierto en la caleta para caer sobre la pequeña, casi indefensa población. Salieron a relucir Reales Células, desempolvó viejos catastros, glosó con matices filosóficos las leyes que disponían «desjarretar» ambas piernas a quienes se sorprendiera transitando por aquel sendero prohibido, «vedado», acarreador de las desgracias, sendero que había que borrar del haz de la tierra dejando que crecieran en sus piedras zarzales y cardones. Iba, en fin, muy entonado por esos tiempos y esos ámbitos, cuando de pronto sonó la implacable campanilla del Presidente de la Sala. Esgrimirla significaba, como todos saben, interrumpir al orador forense, ordenarle silencio. Enrique quedó paralizado.

–Concrétese el letrado a la cuestión controvertida –apostilló severo el Magistrado.

Enrique parecía haber perdido el habla: yo había perdido hasta la respiración. Y pese a la admonición inconfundible, ahí seguía él todavía, mirando con sus grandes ojos en torno suyo, como si no acabara de comprender. El gran Inquisidor –verdaderamente lo era en ese momento– creyó oportuno repetir la orden, puntualizando esta vez un poco más.

–Concrete el letrado la situación de la nave, que es lo que se debate ante este Tribunal.

Entonces Enrique se dejó caer a mi lado, preguntando con aquella expresión ingenua que lo volvía de repente niño:

–¿Dijo nave? ¿Qué nave?

Siempre estuvo algo ausente, algo desarraigado, y no resulta extraño que un ser así tuviera pocos amigos. Pocos en verdad, y aun entre esos pocos, apenas cuatro o cinco hombres de letras. Que yo recuerde ahora, José María Chacón y Calvo, el que anduvo más cerca de su espíritu huidizo; José Antonio Fernández de Castro, que nos presentó todos los «ismos» sin lograr afiliarnos a ninguno; Ernesto Fernández Arrondo, Oscar Betancourt Agramonte, que por esa época se entretenía en traducir a Shakespeare como si no estuviera ya sobradamente traducido; y, desde luego, Federico García Lorca, al menos durante el tiempo que permaneció en Cuba. Últimamente prefería el trato de gente más llana y más sencilla, «porque no lo obligaban a pensar», decía él, y un día le dije yo:

–O porque no te obligan a regresar.

Este modo de andar un poco al margen de las realidades debe haber contribuido a darle aquella ecuanimidad de juicio, de carácter, de gesto que muchas veces le envidié. Nunca le vi perder su equilibrio anímico, no lo recuerdo en un acceso de ira, ni siquiera de mal humor. Con todos era cortés y afable, sin distinciones de categoría, y aun lo era con aquellos que, ciertamente y por más de una razón, no lo merecían. Si, como queda dicho, no fue muy amplio el círculo de sus amigos, a cambio fueron muchas las mujeres que lo amaron, sin que tal ventura le costara mucho esfuerzo. La condición de ausente no las ahuyentó, quizás la persona enamorada también se ausente un poco de sí misma, se desdobla, tiene la facultad de proyectarse, donde quiera que esté, en el ser amado. Pero no hay que sutilizar mucho para comprenderlo: Enrique era todo lo que se ha dicho y era además un hombre muy bello. Eso bien puede verse en sus retratos.

Tuvo la suerte de ser entre nosotros el que mejor copiara los maternos rasgos tan próximos al modelo griego; tenía unos hermosos ojos que lo hubieran sido más de no haber mirado siempre con aquel aire ajeno —aire de ausencia—; blanco de tez, sus facciones llegaban a parecer frías de tan perfectas que se perfilaban: necesitaba sonreír para que su rostro no fuera el de una estatua. Muy sensible a la atracción del sexo opuesto, creo sin embargo que nunca sintió lo que se llama una gran pasión. Amó serenamente a su esposa y, como un joven dios desterrado, halló grato refugiarse en el pequeño Olimpo doméstico que ella le había preparado. Conservárselo por más de treinta años, con la más fiel de las ternuras, fue la misión que tomó sobre sus hombros frágiles Francisca Lamas y Rubido.

Caso raro entre los miembros de la familia, era Enrique muy adicto a los niños como a todas las criaturas simples, acaso porque se sentía más cómodo en su compañía. Uno de sus gustos consistía en recolectar por los barrios pobres media docena de chiquillos y llevarlos a pasear en su automóvil. Ya la grey infantil solía esperarlo y pasar también de la media docena, pero él se arreglaba para encontrarles sitio a todos, y, si no lo encontraba, recogía a la segunda y tercera tandas en nuevos paseos. Esta afición inclinaba a muchos padres a pedirle que fuera padrino de bautismo de sus hijos, y él aceptaba siempre con una condición: que se le permitiera designar cómo habría de llamarse el ahijado. Una vez concedido este derecho, usaba o, mejor dicho, abusaba de él imponiendo a las pobres criaturas los nombres más estrafalarios que pudiera hallarse en el Santoral. Y cuando los desconcertados progenitores indagaban tímidamente por qué se había elegido para su vástago el nombre de Ataúlfo, Sinforoso o Procopio, respondía muy serio:

—Alguien tiene que recordar los santos olvidados.

Debe haber lamentado no tener hijos de su matrimonio, aunque nunca lo manifestó, sin duda por un sentimiento de delicadeza hacia la esposa que no pudo dárselos. Con anterioridad a esta unión, Enrique había tenido dos hijos varones y una niña que murió en la infancia (La Cyrina de los versos míos). Poco sé de estos vástagos, los únicos habidos de nuestra rama. Por avatares de la vida, pronto quedaron apartados de nosotros, si bien Enrique, en la medida que las circunstancias le permitían, se mantuvo siempre en contacto con ellos. Decíame él que eran de noble índole, inteligentes, estudiosos y preparados para lo que les deparase el porvenir. ¿Premonición acaso? Son cosas en las que nunca se puede creer o descreer del todo. Somos los hijos del Misterio. Yo sólo puedo decir que entre lo mucho que no llegó a esta nueva generación, que parecía destinada a recibirlo todo, estaba el don poético. El don de la lengua extraña que se le dio a la nuestra. Y digo así porque la poesía es siempre una revelación, un mensaje que debe llegar lejos. Todo auténtico poeta ha pasado por su Pentecostés.

En alguna parte de este desordenado recuento de emociones, creo haber dicho que no nos tentaba la idea de entrar en la Universidad. Y así era en efecto, pero ahora me parece que la afirmación debe aclararse un poco. A nosotros no nos gustaba estudiar de acuerdo a un programa elaborado oficialmente: nos gustaba aprender lo que queríamos, en el momento en que lo queríamos y en la forma en que queríamos. No se piense que tal pretensión entrañaba una manera cómoda de no aprender nada: por el contrario, puedo afirmar también que fue así, prescindiendo de rutinas académicas, como nuestra hermana Flor creaba sus finos y personalísimos dibujos, y así también como nuestro hermano Carlos Manuel, que nunca se doctoró, pudo adquirir una de las culturas más extensas que he conocido, al extremo de que se le llamaba, en el círculo íntimo, la Enciclopedia Viva. Enrique no se quedó a la zaga del joven sabio: ya he contado cómo, una vez que tomó impulso, aventajó a los que le aventajaban. Sus conocimientos eran menos universales que los del hermano menor, pero yo diría que más profundos. Sin ser doctor en Filosofía, sabía más de esas disciplinas que muchos reputados filósofos, de igual forma que, siendo doctor en Leyes, era de lo que menos sabía. En Gramática y en todo lo referente al lenguaje, José María Chacón lo estimaba una autoridad y una autoridad era él también para decirlo. Es de suponer que, si no tantos, tampoco me faltarían a mí buenos conocimientos en la materia: pues bien, cuando me decidí a publicar *Jardín,* no lo hice sin someter previamente el manuscrito a la revisión de mi hermano. Fue la única opinión que consulté. Y algo más: al tiempo de devolvérmelo, quedé asombrada del gran número de correcciones que me había hecho aquel purista del idioma, correcciones que de no estar allí, pocos hubieran reparado en la falta que iban a subsanar. Algunas me parecieron un tanto caprichosas y las pasé por alto, pero en su mayoría, casi en su totalidad, fueron por mí aceptadas.

Enrique escribió sus primeros libros entre los años 1920 y 1924, o sea, que constituyen éstos la obra de su adolescencia, que fue su etapa más fecunda. Son ellos, a saber: *El libro místico, Canción en la sombra, Faros lejanos* y *Canciones virginales.* En 1925, ya en sus veinte años, escribe *Los poemas del amor y del vino,* que él tuvo siempre por su obra más lograda. A partir de 1926 su producción se hace más lenta. Bajo el epígrafe intrascendente de *Miscelánea,* recoge en 1937 varios poemas sueltos correspondientes a esta última década y destinados a formar un libro que nunca terminó. Lo poco que hace entonces está tocado de aquella fina indolencia de su espíritu, de aquel manso abandono a la corriente. Lo mismo puede decirse de los que él llama con sencillez *Versos de narración y entretenimiento;* y aun me inclino a creer que éstos, por su especial naturaleza y por no encajar unos en otros, fueron escritos sin intención ya de agruparlos en un volumen determinado.

De pronto nos sorprende, entre aquellas gráciles plantas de invernadero, una flor extraña, intrusa casi: el poema de Judas. Siempre buscando nominaciones inocentes, nos ha presentado en esta «Biografía» —y apenas con unos cuantos cortes— una de las imágenes más patéticas, más dolorosamente fascinadoras y perturbadoras que pudieran hacerse del Gran Traidor. *Después de la vida,* iba a titularse su último libro: de éste nos quedan unos quince poemas en los que se percibe un sentido enigmático, un sabor esotérico. No sabemos si lo terminó y luego eliminó las restantes composiciones o si dejó la obra a medias; debe haber sido ya por el año 1945. Sea como fuere, estos versos se apartan bastante del conjunto de su producción, que por vez primera parece evolucionar, enfilar un nuevo horizonte. Es lástima que todo se corte allí y no lleguemos a saber adónde iba... ¿Corresponderán a esta época los poemas en prosa que dispersos me dejara, antes de marchar al extranjero, una persona amiga que los guardaba desde hacía años? Debo decir que no los conocía, pero la letra inconfundible no deja lugar a dudas. Por la numeración que lleva me doy cuenta de que faltan muchos, como también falta un libro en prosa del cual hablaba con frecuencia y hasta decía que en él seguía trabajando, cosa que no creía. Analizaría allí el *Wilheim Meister* de Goethe y sería su mejor obra, la que iba a dedicar a su esposa; pero ni a ella ni a mí nos lo dio nunca a conocer. Este libro, seguramente manuscrito, no ha sido hallado entre sus papeles.

Aunque la identificación espiritual seguía siendo la misma, ya no estábamos tan ligados como en nuestra primera juventud. La grave dolencia que afectó a mi otro hermano había, por vez primera, desplazado a parte de la familia del hogar común y yo fui la que siguió al enfermo al retiro campestre dispuesto por los médicos. Cuando volví al cabo de cinco años, ya Enrique y su esposa tenían casa aparte. Durante estos años, la imagen de la muerte asoma con frecuencia por nuestro horizonte: la hemos visto cerca y nos parece que en cualquier instante ha de volver. Es por entonces que Enrique otorga testamento disponiendo que a su deceso se entregue a José María Chacón y Calvo toda su obra y lo faculte para hacer de ella lo que estime oportuno. Luego, él personalmente se la entrega. Él también se sentía muy enfermo y lo estaba realmente. Su salud, que nunca fue mucha, parecía declinar de día en día. Y son días de sombra los que vienen, días que nos lo borran, nos lo vedan. Si escribió algo en ellos, debe haber sido destruido por su propia mano.

Sabemos que desde hacía tiempo buscaba en el alcohol algo que la vida no podía darle, con tantos dones que le prodigó. Las pocas veces que le preguntaba qué le movía a hacerlo, respondía con evasivas y yo renunciaba pronto a un interrogatorio que me era tan penoso como a él mismo. En una ocasión en que trataba de animarlo para que volviera a escribir, me dijo con tranquila sonrisa:

—Parece que te has olvidado ya de lo que es ser un poeta sin auditorio...

Quedé dolorosamente sorprendida porque siempre había pensado que aquel ostracismo, sólo roto por mí, había sido en él perfectamente voluntario y que jamás se había arrepentido de su conducta. Fácil es imaginar qué presurosa anduve en hacerle ver que ese auditorio, que por primera vez parecía añorar, estaba allí, al alcance de su mano. Hasta llegué a decirle ingenuamente que Pablo Álvarez de Cañas, mi esposo que tanto le quería, haría por su obra lo mismo que hizo por la mía. No tenía más que consentir y ya todo estaba hecho. ¿Sería tanta su apatía, llegaría su indolencia a inhibir también aquel mínimo gesto? Todo inútil. Ni siquiera me contestó. Seguía mirando hacia la copa que tenía en la mano. Seguía levemente sonriendo. Fue un lento sumergirse en la tiniebla que no alteró sin embargo la delicada textura de su alma. Era no sólo ya un poeta sin auditorio, sino también un poeta sin versos: pero un poeta siempre. Del naufragio habrían de salvarse íntegras aquella bondad, aquella apacibilidad que eran en él congénitas, quiero decir que se producían sin esfuerzos y hasta que, si le hubieran costado alguno, es posible que no se lo hubiera impuesto. Tampoco provenían de sus principios religiosos. Siendo un firme creyente, su concepción del Ser Supremo no cabía en los ceñidos moldes de una secta, por lo cual, respetándolas todas, ninguna lo obligaba más allá de lo que él mismo se obligaba.

Buscaba a Dios por diversos caminos, pero sin la inquietud del que lo hace acuciado por la duda, por el miedo. Así se inició y perseveró en las liturgias masónicas al igual que iba a misa los domingos, aunque decía que era el día que menos esperaba hallar a Dios en medio de tan nutrida concurrencia. No sé si al fin lo halló, pero le hablaba seguro de ser escuchado de alguna forma, desde alguna parte, desde aquel mismo silencio que bastaba para llenar el corazón del poeta hindú. Su fe, su confianza en el Cielo y en sí mismo, su serenidad inalterable, se pusieron de manifiesto durante su última, larga, terrible enfermedad.

Supo desde el principio que iba a morir, pero, por no afligirnos más de lo que ya estábamos, fingía creer nuestras piadosas mentiras, los nombres con que disfrazábamos su inexorable mal. Jamás brotó de sus labios una queja, una palabra de rebeldía y ni siquiera de impaciencia o simplemente de dolor físico. Se sometió, también por no afligirnos, por no ser él quien rompiera la desesperada esperanza a que nos asíamos, se sometió, repito, a cuantos medios y remedios ensayaba la ciencia para prolongar su vida que ya no era más que prolongar su agonía. Aquel domingo último de mayo, durante la visita reglamentaria a la sala del hospital donde estaba recluido, uno de los pacientes de las camas vecinas me llamó disimuladamente y me dijo en voz baja que había visto algo de sangre en el pañuelo donde tosía nuestro enfermo.

El estado de Enrique no parecía haberse agravado como para esperar un desenlace inminente; por el contrario, bromeaba a la sazón con nuestra hermana, también presente en la visita. No obstante, la observación sobre la sangre fue reportada a la enfermera de guardia y ésta se limitó a decirnos que tal cosa no tenía importancia. La esposa, siempre inquieta, pidió que se le permitiera quedarse aquella noche junto al enfermo y, como le fuera denegado el permiso y estaban ya desalojando a los visitantes, optó ella por ocultarse tras los arbustos de un patio interior. Vano intento: pronto fue descubierta y obligada a salir del recinto hospitalario. A las nueve de la noche llegó la noticia: Enrique había muerto por rotura de la aorta, mordida ya por el tumor maligno que lo minaba hacía cerca de dos años. Sus últimas palabras, pronunciadas unos momentos antes, habían sido:

–¡Qué triste es la sala de un hospital de noche!...

Y así fue como esta criatura tan amada, tan dulce, tan exquisita, entró en la muerte sin una mano amiga que lo sostuviera, sin unos ojos que lo acariciaran con la mirada, sin alguien que le dijera adiós. Enrique murió solo y ésta sí creo que fue una crueldad que los hombres pudieron evitarle, una crueldad innecesaria de los hombres.

Hay unos versos suyos que aluden a aquel sueño infantil compartido en la común alcoba por dos niños, tan lejanos ya, dos niños que dormían plácidamente en medio de la noche. La noche no ha pasado, al menos para mí; pero el verso final me viene a veces a los labios con un vago aleteo de promesa: «Los dos niños dormían en medio de la aurora».

(20 de marzo de 1987)

FÉLIX VARELA, EL DESTERRADO

QUE FÉLIX VARELA VIVIÓ y murió dentro de las estrictas fronteras de la santidad, es cosa cierta para los católicos cubanos y para todo el que se detenga a estudiar su vida, en la que las virtudes cristianas llegaron a un grado heroico.

Pero no es a propósito de este extremo que le he llamado varón impar, porque santos hay muchos, afortunadamente: nuestra religión es rica en ellos y él puede y debe ser otro de los escogidos.

Ahora bien, la singularidad de su caso reside, a juicio mío, muy sencillo desde luego, en que él puede desarrollar más de una personalidad en su paso por el mundo, y desarrollarla con eficacia, con brillantez, con limpieza y además casi simultáneamente. Tales eran sus facultades de captación, de incorporación al ideal propuesto.

Cuando estudiamos la historia de los grandes hombres, la admiración aflora y desborda las orillas de nuestras almas y nos asombra la pasión, la entrega sin titubeos ni fatigas a la causa por ellos abrazada.

Nos asombra también la paciencia, la perseverancia, la fe puestas en esa causa suya, por encima de todo obstáculo, de todo desaliento.

Nos asombra y nos pone a punto de aceptar que, de algún modo ajeno a nuestros sentidos, les fue revelada esa verdad entrañable, a la cual ya no pueden sustraerse, aunque las lleve muchas veces al martirio.

Así Bolívar, padre de pueblos en nuestra América; así Colón, abriendo con las proas de sus carabelas nuevas rutas en el mar tenebroso.

Así el sabio en la soledad de su laboratorio, puesto hora tras hora y año tras año a la búsqueda del virus evasivo, de la escondida bacteria.

¿Y cómo no recordar ahora al monje del Medio Evo, héroe anónimo en la oscuridad de su celda, salvando tesoros de sabiduría que sin él se habrían perdido para las generaciones venideras?

A poco que nos detengamos en estas existencias, desde la más humilde a la más cimera, veremos que ellas se caracterizan por su enfoque en un solo punto luminoso, que es el que les atrae en la pluralidad del universo, y es a ese punto y no a otro adonde dirigen y concentran sus ansias, sus fuerzas, su capacidad de asimilar.

Sin embargo, esta regla de carácter general para los grandes hombres como he dicho, no se cumple en nuestro Félix Varela, o se cumple con otra proyección: en él pudiéramos observar algo distinto, algo como una conjunción de haces luminosos que convergen en su ser libremente, sin estorbarse unos a otros, más bien diría que fortaleciéndose entre sí.

Varela tiene primero que nada la pasión de su ministerio sacerdotal, y esa pasión arderá en su pecho hasta la muerte.

Pero tiene también la pasión de la enseñanza, la del educador. Aspira y logra ser un conductor de juventudes por los caminos de la ciencia y la filosofía. Ya luego esa aspiración habrá de prolongarse más allá, hasta otros horizontes; pero, por el momento, filosofía y ciencia son buenos puntos de partida.

Así pues, no vacila en romper los viejos moldes, las enmohecidas doctrinas, los métodos caducos. Ha visto «las señales de los tiempos», como nos recuerda muy oportunamente Dagoberto Valdés Hernández; señales que muchos se resisten a ver y, como también añade este varelista, está pronto a proclamarlas, no sólo con su voz, sino con su vida misma, que es simbiosis del verdadero apostolado.

Ha visto las señales de los tiempos cuando nadie parecía verlas, es decir, *antes que nadie* (reparemos en esta anticipación) y su videncia lo decide a asir por los cabellos la primera oportunidad que se le presenta de proclamarla en España.

Y ya tenemos que junto a la pasión por el sacerdocio católico y la de hacer luz en las conciencias que le fueron confiadas, se viene a unir otra pasión más ardua, más remota en su objetivo, más dolorosa al confrontarla con su realidad: la pasión de rescatar la dignidad y los derechos del pueblo a que pertenecía.

Son tres grandes misiones que ha tomado sobre sus hombros frágiles en apariencia pero increíblemente aptos para soportar el triple peso. Tal vez pudiéramos añadir una más, la del filántropo, que no necesariamente tiene que estar comprendida en las demás. Pero bastan a completar su perfil moral las tres ya señaladas, tres hermosas misiones que en él se acoplan y complementan.

Sustentar una sola a plenitud, ya sería un buen esfuerzo; unir dos de ellas, una hazaña. Pero lograr las tres, es heroísmo.

Monseñor Carlos Manuel de Céspedes se deleita en esta tercera personalidad asumida por el Padre Félix Varela en el campo sociopolítico económico, se detiene con el señalamiento sutil de que este campo aparentemente no era el suyo.

Y no lo era en verdad, Monseñor Céspedes, no lo era en modo alguno.

Él era hombre de paz; no era de los que practican la guerra como un deporte. Era hombre de paz por temperamento y por su mismo sacerdocio.

Nada ni nadie lo sugiere, pero presumo que tuvo que hacer un gran esfuerzo para cambiar las vestiduras talares del presbítero por la troga del tribuno.

Las polémicas, los debates que se presume no serían nada serenos, sino consecuencia del ambiente caldeado por violentas pasiones —pasiones enardecidas por el mismo pueblo—, todo en fin tenía que herir su fina sensibilidad, chocar con sus más arraigados sentimientos.

Sin embargo, se sobrepuso a todo, se venció a sí mismo, que es la victoria más difícil de obtener.

¿Cómo pudo lograrla? Ésta sería la natural pregunta: ¿Cómo pudo este hombre de paz enfrentarse a aquella asamblea tormentosa, cómo pudo argüir, razonar, convencer? Porque él convenció; él introdujo en el texto de la nueva Constitución las reformas que juzgaba justas y necesarias para su país y aun para toda nuestra América.

Si luego el edificio con tanto afán construido, levantado, vino abajo por la traición de unos y la ambición de otros, él dijo lo que tenía que decir en su momento, aun con riesgo de su vida.

¿Dónde halló fuerzas para hacerlo? Las halló en el amor a los suyos, en el amor a la justicia, siempre y únicamente en el amor, porque el amor también tiene su taumaturgia y él, en amor, era maestro.

No hablo de carismas, aunque podría hacerlo, porque es palabra de la cual últimamente se ha abusado mucho y las palabras muy manoseadas acaban por perder las aristas que las identifican y les dan razón de existir.

* * *

Del Padre Varela existen dos retratos muy significativos, el de sus años mozos que nos lo muestra afable, sonreído, mirándonos a través de sus lentes de miope, curiosamente cuadrados.

El segundo evoca ya al Varela del exilio, triste el rostro, y hasta la melena, triste.

Ambos son bastante expresivos; pero como cuando no hemos conocido físicamente a nuestros héroes quisiéramos reunir el mayor número de detalles referidos a su persona, me mereció oportuno recoger algunos datos señalados en el trabajo del Padre Manuel Hilario de Céspedes, y que, usando la terminología actual, nos dan un «retrato hablado».

Son datos que no aparecen ni pueden aparecer en aquellos dos primeros, pero que, unidos, los enriquecen y, de acuerdo con la misma terminología, constituyen una «ampliación» de los mismos.

Por él nos enteramos de que Félix Varela «era de mediana estatura, delgado, lampiño, de piel cetrina». Y otro detalle interesante: «No impresionaba por su figura».

Ahora vamos a entrar en la larga noche que siguió a aquellos días tensos, brillantes y tempestuosos, una noche que se fue haciendo a lo largo de 28 años. Una noche que al final dejará de ser una pobre imagen poética para convertirse en una noche de verdad, la noche sin confines, sin amanecer posible, la noche del ciego.

Los biógrafos del Padre Félix Varela, especialmente Monseñor Raúl del Valle –que Dios tenga en su santa paz–, se esfuerzan en deslizar algunas claras pinceladas en esta doble noche del exilio y la ceguera creciente.

Es noble empeño que debemos agradecer y agradecemos, por cuanto Monseñor del Valle fue él mismo un exiliado.

Líbreme el cielo de minimizar el apostolado de Varela entre los irlandeses que lo amaban y que fue abnegado y eficaz; o sus fundaciones en la ciudad de Nueva York, la escuela para niños pobres, la agrupación de mujeres costureras para vestir a los despojados hasta de ropas, la iglesia de La Transfiguración que aún existe como impronta imborrable de su paso por la ciudad gigante... Pero, entre tanto, ¿qué pasaba en Cuba?

¿En todo este volcar de alma sobre cuanto le rodeaba, no se había preguntado muchas veces que sería de su Seminario de San Carlos? ¿Qué de los jóvenes cuyas mentes formó y nutrió para que fueran útiles a su país, aquel país que, con todas sus desgracias y sus desaciertos, era el país suyo, el de todos, el que había que defender y salvar?

El Seminario estaba en buenas manos, eso podía saberlo; en cuanto al país mismo, las noticias que le llegaban no eran en verdad muy estimuladoras. Al parecer, el árbol que él sembrara había empezado muy penosamente a fructificar. Frutos ácidos, pero frutos al fin.

Y si era así, ¿por qué había cubanos que pasaban por el país donde él estaba, compatriotas suyos que alentaban sus mismos ideales, y que sin embargo no lo buscaban, no sentían la necesidad de compartir con él ideas y sentimientos cuando eran los mismos que él había despertado en ellos?

Aun en los pocos aquellos que lo visitaban –un amigo, un discípulo–, no faltaba quien deslizara medio en broma, medio en serio, un ligero, ligerísimo reproche: «¡Si vieras a nuestro Padre Varela!... Está entregado a los irlandeses. Piensa más en ellos que en los cubanos...».

No podemos decir que el reproche fuera justo, pero tampoco afirmar que no lo fuera...

Y si así fuese, si en efecto los grises cendales del desencanto iban poco a poco descendiendo sobre aquella alma sensitiva, cuya alta vocación de servicio, frustrada entre los suyos, tenía que refugiarse ahora en suelo extraño, donde Cuba ni siquiera era nombrada.

Si los fríos del norte lo fueron penetrando más allá del asma y el humo de la gran ciudad fabril fuera también como otra nublazón para sus ojos...

Si fue así, no se lo tengamos a debilidad, sino más bien a fortaleza. Porque fortaleza fue aceptar como aceptó virilmente, cristianamente, el trueque de su destino, el escamoteo del papel brillante que le estaba reservado en la Historia de su país, por este otro opaco y sin relieves.

Imaginemos este hombre culto, sabio, sensible, en la plenitud de su intelecto, día tras día y año tras año sin más trato –salvo alguna que otra excepción– que el de aquellos pobres emigrantes, sin alimentos para el cuerpo y la mente, aquéllos para quienes *el pan nuestro de cada día* tenía una connotación nada simbólica, sino física, real, urgente, inaplazable.

¿Podía hablar con ellos de filosofía como lo hacía con sus alumnos en el patio del Seminario a la sombra de los laureles?

¿Podía hacerlo con aquellos rígidos ministros de otras religiones poderosas que lo miraban con ojeriza, que desconfiaban de él y lo tenían por un intruso doblemente extranjero por su credo y por su origen?

Claro está que no podía.

Entonces, ¡qué tortura para este hombre que no era un solitario ni un anacoreta, que tenía siempre una necesidad vital de diálogo, del intercambio de las ideas!

Esto puede explicar la incógnita de las *Cartas a Elpidio:* quizás Elpidio no existió nunca, fue sólo un fantasma, un destinatario inventado por él mismo, necesitado de un interlocutor, de alguien en quien depositar sus inquietudes, sus reflexiones, sus ansias de hacer el bien. Las *Cartas a Elpidio* son las Cartas de la Nostalgia.

* * *

Más de una vez me he preguntado si ésta sería la suerte reservada a los profetas, a los apóstoles, a los precursores: sembrar y no recoger. Colón murió sin saber que había descubierto un nuevo mundo. Moisés no entró en la Tierra Prometida. Juan Bautista no estuvo en el Tabor. Bolívar dice al morir en casa ajena: «He arado en el mar.»

Félix Varela no lo hubiera dicho: creo que, pese a todo, contra toda evidencia y toda amargura, hubiera hecho suya la respuesta de Martí:

—Pero la cosecha ha sido de perlas...

(19 de noviembre de 1988)

AUSENCIA Y PRESENCIA
DE JULIÁN DEL CASAL

ERA YO TODAVÍA UNA NIÑA cuando mi madre puso en mis manos ciertos cuadernos muy pequeños, impresos en modesto papel, y con carátula también del mismo papel coloreado; me parece recordar que de verde en uno, de amarillo en otro, y en el otro de azul.

Esos cuadernos eran nada menos que las primeras ediciones de los versos de Julián del Casal. Y qué pena haberlos perdidos en aquella edad, y qué satisfacción poder afirmar en este día, y en cita con los más altos valores intelectuales de mi patria, que si bien perdí los cuadernos, no perdí nunca el espíritu de esa letra, no perdí la revelación que los cuadernos encerraban.

Aquel regalo de mi madre, inusitado ciertamente para serlo a una niña, debió sin duda fermentar, en mi oscura conciencia, no sólo la afición congénita por los versos, sino también una especial por esos versos mismos, una como intuición o sensibilidad para captar en ellos, desde entonces, un mensaje distinto y misterioso.

En la conferencia que a invitación suya tuve el honor de pronunciar hace dos años en la Universidad de Salamanca, en mi ánimo estaba interpretar este mensaje, poner en pie, de cuerpo entero, al bardo cubano en la augusta cátedra de Fray Luis: mas, encontré que, para hacerlo, era preciso destacar antes otras cosas que vienen a ser las que en resumen dan perspectiva a su estampa, y esa sola labor ya me llevaba la hora completa de la que discretamente no debe alejarse conferencia alguna.

Así pues, preferí detenerme poco en el bardo mismo, y más en el clima en que él se forma, y simultáneamente contribuye a formar con su hálito, que era de cierto el de un genuino creador.

Me adentré entonces en el Modernismo para, desde sus predios, calibrar la influencia que allí habían ejercido los poetas cubanos; y aunque esta influencia habría sido de todos modos importante, me interesó exponer también ante un auditorio extraño, y por añadidura europeo, las razones que por mi parte he recogido en abono de una hipótesis contraria a lo que hasta ahora se nos ha estado repitiendo, o sea, que esa gran revolución de las Letras que se conoce con el nombre de Modernismo no fue, o por lo menos no lo fue de la manera absoluta que nos cuentan, una corriente que vino de Europa a América, sino a la inversa, una corriente que fue de América a Europa.

Pero no *después*... —y éste es el extremo candente de la controversia—. No *después,* como algunos conceden, sino desde el principio, si es que su principio puede fijarse.

Planteada en su naturaleza y en su origen, la americaneidad del Modernismo, y las corrientes tributarias aportadas por Cuba a ese Gulf Stream de la Poesía, renuevo entibiador y vivificador de frías costas europeas, Julián del Casal, que no era el único nombre a pronunciarse, tuvo que ser evocado fugazmente, al igual que otros altos, finos poetas tropicales que iba sacando allí de mi pequeño bagaje, como prendas de lujo en ajuar de novia pobre.

No dicha en todo su fervor, seguí guardando para el bardo de mis iniciaciones la palabra que le debía, en espera de una ocasión digna como fue aquella de decirla un poco en acción de gracias, y un otro poco, de justicia.

Hoy ha llegado esa ocasión, y al natural contento que ello me produce, únese también un natural sentimiento de tristeza: el de tener que recogerla junto al sillón vacío de otro puro poeta y muy dilecto amigo, don Luis Rodríguez Embil.

Sea para él un recuerdo de paz, y otro de gratitud para nuestro ilustre Presidente, el Dr. Miguel Angel Carbonell, que tuvo a bien mío y merced suya, sugerir mi nombre a raíz de aquel deceso, y a los compañeros que como él lo hallaron digno de ocupar el hueco dejado por el pulcro caballero escritor.

Gracias también a los señores Académicos que hasta aquí acaban de acompañarme, y a Max Henríquez Ureña desde ahora, porque sé que me va a tratar con su habitual benevolencia; pero sobre todo por haber sido, desde hace mucho tiempo, fijador de valores en un continente donde nadie quiere o se preocupa de fijarlos.

Esta misión suya no es ajena a la índole del presente ensayo; también y en la medida de mis fuerzas, vengo intentando rescatar valores de nuestro hemisferio enajenados, aunque para ello tenga que abandonar la tarea, más fácil a mi pluma, de la propia creación. Pero hay muchos creadores y pocos conservadores... A este empeño responde el trabajo de hoy, que es el mismo que alienta en otros anteriores como *Poetisas de América, La Avellaneda, una cubana universal* y la propia conferencia de Salamanca.

No es fácil conseguirlo, y menos si el propósito se centra en un país determinado. En esta misma cuestión del Modernismo, Cuba debiera ser tenida más en cuenta, y en realidad lo que se hace es citar a Martí y a Casal entre el montón. Y estos nombres, señores míos, corresponden nada menos que a dos de entre los tres o cuatro Precursores... También es nuestro Max uno de los primeros en darles ese rango, al precisar fechas y facies de su obra.

Será porque es su clima, como dije antes, pero no es posible estudiar la obra de Julián del Casal sin detenerse siquiera unos minutos en las concretas causas del Modernismo, bien se tenga de ellas un concepto americanista, bien nuestro, o, por el contrario, europeizante.

Se dice que este movimiento se generó en las lecturas que de los escritores franceses, hacían los de América, lo cual es perfectamente comprobable en cuanto al hecho, esto es, las lecturas; y sólo probable en lo que hace a la consecuencia, o sea, que de dichas lecturas saliese aquella total renovación de la Literatura Universal.

Probables o comprobables, no procede aquí el examen de estas presunciones, y menos cuando, a juicio mío, se pueden dar ambas por ciertas y seguir considerando americano el fenómeno. Me explicaré en pocas palabras.

No hay poetas químicamente puros. No los hay en América ni en ninguna parte. Si nosotros nos hartábamos de recientes lecturas europeas, allá no han acabado todavía de beber en las más diversas fuentes: clásicas, folklóricas, gongorinas, orientales.

Esto sucede en todo, y todo tiene sin embargo su fisonomía. Cuando administramos una rosa, sabemos que la tierra, el sol, el agua, andan por medio, como bienes que son universales... Pero la rosa es obra del rosal, y el Modernismo es obra de Rubén Darío.

¿Que él fue el primero en confundirse y confundirnos? También puede aceptarse, porque no es la voluntad del individuo, y menos los espejismos personales, quienes deciden estas cosas.

Del modo que ocurre tantas veces, bien pudo ignorar su más alto destino el genial nicaragüense que estaba, como todos, enamorado de Francia, pero que no era nada francés, y emparentaba más con el recio Walt Whitman que con el exquisito Verlaine; mas con el atormentado Edgar Poe que con el cellinesco lapidario que fue Teophile Gautier.

Como es natural, Rubén Darío tuvo buena asistencia en la elaboración de su criatura, y ahí ha estado siempre el punto sensible de la auscultación, el único que acaso pudiera revelarnos los factores que intervinieron en este proceso, y hasta qué extremo fue decisiva su intervención.

Históricamente no pueden considerarse únicas fuentes las lecturas francesas. A los veinte años, Darío se conocía como un paisaje cotidiano todos los clásicos españoles, había leído muchos libros y tratado mucha gente que no era en modo alguno adocenada ni vulgar. Es un hecho que los cubanos José Martí y Julián del Casal se le acercaron en los momentos en que él empezaba a ser lo que sería, y no con una mera coincidencia especial que no tendría ningún valor, y en este caso podría contarse por días, sino con aquella otra proximidad que sólo puede darse entre afines y finos intelectos, pero que una vez dada, no se da en vano; esa identificación espiritual indudablemente obró entre ellos como flujo y reflujo de mareas. En lo que hace a Martí, el propio Darío da testimonio de ello en más de una ocasión.

Por consiguiente, la presencia cubana en la ávida mocedad del creador del Modernismo es tan legítima como cualquier otra que también lo sea; y, más que muchas que se han venido señalando, ella es real, idónea, humana.

Y es desde aquí, señoras y señores, desde donde comienza a estar presente un gran ausente; donde habita verdaderamente entre nosotros, como no habitó nunca en tierra alguna, ese poeta extraño entre los suyos que se llamó Julián del Casal.

Si el Modernismo rompió los herrumbrientos grillos que encadenaban la Poesía, hay que aceptar también que entre las pocas manos de que primeramente se sirvió para intentarlo estaba la mano pálida, indolente, que trazó los tercetos monorrimos.

Si los poetas de hoy hijos son de esa gesta —los buenos y los malos, que en esto del nacer ya se sabe que no hubo nunca mucha selección...—, la sangre de Casal, espuma apenas, surtidor cegado, corriendo está por nuestras venas líricas.

Parece raro que el destino se valiese también de criatura tan abúlica para semejante empresa, pero así fue; aunque quizás el recuerdo de lo poco dispuesta que para ello estaba su persona haya retardado el pleno reconocimiento de este hecho.

Ahora bien, ya puestos en el hecho, de él hay que deducir seguidamente esta conclusión: Casal proyectará su fina sombra sobre las generaciones venideras, tanto al menos como la haya proyectado en el Modernismo, que no fue poco ciertamente; pero la proyectará además —y esto es ya a juicio mío— por sí solo: creo que este poeta, el menos arraigado en su ámbito, ejerció una verdadera influencia en ese ámbito suyo, influencia que fue trascendente a la poesía actual más de lo que esta poesía quiere reconocer.

Ella se propagó al modo de la piedra arrojada en el agua sin propósito, pero que va engendrando círculos concéntricos, si bien cada vez más esfumados, también más amplios cada vez.

Fundamentar esta aseveración, esta presencia del Ausente, es hoy el noble quehacer de mi palabra.

Julián del Casal es un poeta amigo nuestro: a Luis Rodríguez Embil le hubiera sido grato el tema, ya reducido a un solo nombre, mas en tono menor y consonancia con esa alma suya que fue siempre un gran piano con sordina.

Prescindiremos de datos biográficos y hasta de aquellos referentes a su formación intelectual, que fue más o menos la de todos los jóvenes cultos de su época, pues siendo el presente un discurso académico, debe estar exento de pretensiones didácticas. No se trata de descubrir al bardo, sino sencillamente de evocarlo, de fotografiarlo si es posible —y es a lo más que puede aspirarse— desde un ángulo nuevo, diferente.

Siendo todos los ángulos parte integrante del espacio, y éste, a su vez, infinito, quién sabe si mi buena estrella me depare esta noche alguno inexplorado.

Pero qué arduo deleite se nos hace enfocar este joven escurridizo. Qué empresa la de lograr un buen «close up» de esta figura pálida en su mundo sin atmósfera como dicen que son algunos planetas. En ellos no se puede vivir, y nuestro amigo, que lo alcanzara en cierta forma, al fin vivió poco y siempre solo.

Es en esa fría soledad donde tenemos que alcanzarlo; es su ausencia la que ahora tocamos sin tocar, como nos sucede con las nubes cuando ascendemos a alta cima.

Visto así, a contraluz del que fue o debió ser su paisaje, Casal se me presenta, ya lo dije, como un eterno ausente. Y esto que parece una paradoja porque un ausente no se presenta en ningún sitio, y si se presenta ya deja de ser ausente, constituye, sin embargo, el singular secreto de su personalidad y en definitiva de su destino.

El gran americano y americanista Rufino Blanco Fombona se extraña ya de un curioso contrasentido: el que existe entre la obra de Julián del Casal y el paisaje que le rodea; entre su alma, tenebrario de no se sabe qué pasión, y su ambiente lleno de luz y vida.

No trata de explicarse tal contraste, previendo acaso sus dificultades; pero anota el hecho. Él, como otros que también lo han comentado, sabe que no se halla frente a una ficción o un vulgar snobismo, sino pulsando una actitud determinante.

Dando esto por cierto –y lo patético de las circunstancias así nos lo confirma–, yo pregunto cuál otro pudiera ser ese factor si no es la misma condición de ausente consustancial a su naturaleza. *Casal no estaba donde estaba.*

Algunos pensarán que esto es absurdo, y otros, por el contrario, con un concepto demasiado amplio, se dirán que a todos los poetas les ocurre algo por el estilo. Quedémonos en el justo medio y, por lo que me toca, séame permitido aclarar que, salvo alguno que otro caso semejante –que también pudiera haberlo–, la ausencia atribuible a los de mi oficio no es, digamos, absoluta... Y en el bardo cubano, yo creo que lo fue. Creo que fue un ausente en todas las dimensiones de la ausencia, un solitario en toda la augusta hermosura de la soledad.

Lo que sucede comúnmente con los poetas es que, al modo de cualquier otra criatura cuyo instrumento de trabajo sea el cerebro, suelen andar distraídos por sus pensamientos o fatigados de pensar. Ello, de vez en cuando, les presta aire de ausencia, y si se quiere, hasta una cierta ausencia eventual y genérica. No así Casal, ausente de por vida, aun sin requerirlo el pensamiento, aun pensando en el mundo circundante: en él había, de hecho, una ausencia específica, y cabe decir que no era ausente por poeta, sino más bien poeta por ausente.

Conviene ahora recordar que dicha condición se produce independientemente de su voluntad, por lo que yo no la llamaría evasión como hacen algunos autores.

El vocablo evasión supone facultades volitivas, al menos en su grado elemental, y a mi entender, en este caso, la condición de ausente se produce no sólo sin la voluntad del individuo, sino también, en determinado momento, a pesar de ella, contra ella. Él no quisiera ser así, él sufre de serlo.

No importa que alguna vez se engañe en cuanto al modo de llevar o interpretar esta modalidad suya: apartando esas pocas excepciones, el resto de su obra, y aun de su vida, nos revela que nunca halló su verdadero rumbo, y hasta algo más, que nunca se propuso rumbo alguno. Fue un barco a la deriva, un buque fantasma suelto a todos los mares y no enfilado a ningún puerto.

Sigámosle en sus versos neblinosos, porque otras singladuras no tenemos.

Desde sus primeras composiciones muestra Casal un excesivo afán de identificarse; como si dijéramos, de mostrarnos su pasaporte. Presume que se le desconoce, y en efecto así era, y me atrevo a añadir que sigue siendo.

La poesía inicial del libro *Hojas al Viento* es ya una autobiografía. Algunos poetas hacen esto llevados por un cierto narcisismo, pero en él no parece que lo haya habido. Estuvo siempre muy descontento de todo, pero principal y sinceramente, de su persona; por tanto, esta tendencia a hablarnos de ella es más probable que obedeciese a su deseo de no permanecer invisible, confinado, forastero.

De este tipo de poesía, voy a leer la más sencilla y breve, que extraigo asimismo de aquel libro juvenil. Me gusta el sabor de inocencia que persiste en sus líneas como un vago recuerdo de la infancia. El reciente alumno del Colegio de Belén ha leído a Heine y escribe todavía dando vueltas a sus baladas.

Cuando al fulgor de la aurora
que las negras sombras rasga,
solitario me paseo
en derredor de tu casa,
parece que me preguntan
tus recelosas miradas:
—¿Quién eres, de dónde vienes?
—¿Qué pena oprime tu alma?
—Soy un poeta nacido
en región americana,
famosa por sus bellezas
y también por sus desgracias.
Vengo de lejanas tierras
con incurable nostalgia;
y si las penas te nombran,
oirás, niña en tu ventana,
que nombran la pena mía
entre las penas que matan.

* * *

Ya lo tenemos en su ausencia. Evoca la tierra original como si no estuviera en ella, y desde entonces, con aquel suave dejo de amargura. Viene de allí dejando presumir que anduvo mucho, que no acaba de ubicarse, de establecer su filiación.

Véase esta estrofa escrita cuando cree soñar y está despierto, incorporado ya a su drama:

> *Yo sueño en un país de eterna bruma*
> *donde la nieve alfombra los caminos,*
> *y el aire pueblan de salvajes trinos*
> *aves reales de encendida pluma.*

Nos habla, a lo que se ve, de un país-centauro, mitad una cosa y mitad otra. Las visiones nórdicas se le confunden con las meridionales, y mientras los dos primeros versos corresponden a un paisaje escandinavo, por los dos últimos vuelan insólitas aves de indiscutible estirpe tropical.

¿Desvaría el poeta? En modo alguno: está tratando de hacer algo muy difícil, situar en su verbo —no en su alma, que allí es más fácil situarlo— un extraño país que le concierne, del que está cierto, aunque no atine a describirlo.

Él, que lo ve, que ha hecho suya esa tierra a fuerza de no encajar en ninguna, se enreda al pretender darla también a nuestros ojos. Sólo acierta a traspasar su visión —como quien pasa a otro sus binoculares— a aquella maravillosa sensitiva que alguna vez lo amó, Juana Borrero.

¿Qué esas son fantasías de poetas? No, no, amigos míos... eso será desde el común punto de vista, pero ellos miran desde otro... Así como nosotros tenemos nuestra verdad, los poetas tienen la suya, y nadie el privilegio de honorizarla, de encerrar la verdad en su gallinero.

Y es que el concepto de la verdad no ha de ser necesariamente el mismo, desde el instante en que sabemos cuanto engañan e ignoran aquellos cinco sentidos a los que habíamos fiado su discernimiento.

Esto nunca fue cómodo como tampoco lo ha sido, desde el bíblico anatema, la diversidad de lenguas... Y muchas veces los más débiles acaban por plegarse a los mayores en número o en fuerza, sin dejar, allá en lo íntimo, de seguir balbuciendo el idioma o la verdad natal...

Nuestro poeta insiste por un tiempo en hallar su tierra entre las nuestras; la sitúa muy lejos por lo inasible que a él mismo se le hace, y toda su vida la pasó yendo hacia ella.

De ahí las chinerías y las japonerías en que se pierde vanamente, su modo de verla a veces por el Oriente y otras por el Septentrión. Hace una leve referencia a cielos neutros, a flores raras y exquisitas, pero sería inútil tratar de situar las fronteras de su reino dentro de nuestra estricta Geografía.

Esto bien se colige ahora, pero él no se conformó al principio a un exilio demasiado radical, y sigue buscando, aunque la búsqueda se haga cada vez más fatigosa. Luego, renuncia a designar su reino, y sólo alude a él con una palabra tan expresiva e inexpresiva a un tiempo, como *otro*. Su reino es *otro*. Su poesía será también otra.

> *Ver otro cielo, otro monte*
> *otra playa, otro horizonte,*
> *otro mar...*
> *Otros pueblos, otras gentes*
> *de maneras diferentes*
> *de pensar...*

A veces, este país remoto se torna tétrico y sombrío; el Ausente teme descubrir que, después de tanto andar, está solo «en el país glacial de la locura».

No sabe entonces donde refugiarse y clama como un niño desde la aterradora, pequeña infinidad de un cuarto oscuro:

> *arrebatadme al punto de la Tierra,*
> *que estoy enfermo, y solo, y fatigado...*

Quisiera, acaso con un viejo deseo que es ya del Padre Dante, hallar un alma amiga que lo guiara en las tinieblas, adonde a su pesar, es impelido; Rubén Darío, Baudelaire y hasta el rey Luis de Baviera, suntuoso de leyenda, pueden ser definitivamente sus virgilios; pero ellos vuelan demasiado alto y nuestro vate se siente cada vez más débil, más secuestrado por la sombra.

> *Hacia país desconocido abordo*
> *por el embozo del desdén cubierto;*
> *para todo gemido estoy ya sordo,*
> *para toda sonrisa estoy ya muerto.*

Siempre el país desconocido, la tierra ignota de los mapas antiguos donde le empuja un viento de borrasca. Renuncia al fin a orientarse; se sabe ya inexorablemente desterrado, seccionado de la vida que le rodea.

Huyen los pensamientos de mi cabeza
como aves de un abismo negro y profundo,
porque sólo conservo la honda tristeza
de los seres que viven fuera del mundo.

Ésa es su verdadera filiación. Es falso todo aquel Oriente de minucias colectado en su alcoba, falsos los libros prestados por Valdivia, y pequeño, insignificante todo esto al lado de su gran desasimiento.

Y bien, ¿cómo ha podido esta tan desolada soledad, este definitivo apagamiento, desdoblarse en haces de luz, atravesar regiones siderales como el efluvio de algún astro muerto?

¿Cómo ha podido una poesía tan ayuna de tiempo y espacio, nutrir tiempo y espacio de los otros?

Percibiendo el fenómeno, es no obstante difícil razonarlo.

Algo tenía nuestro poeta a su favor y era el arte de dar ideas nuevas con sencillez, y respetando siempre la función musical de cada verso. Costó trabajo encariñar el oído a aquellos nuevos, extraños metros casi arrítmicos y puede decirse que su empleo dilató bastante la comprensión del creador que encerraban.

Casal, que es casi clásico en la forma, que no la descoyunta con violencia como hicieron los otros, tenía que llegar primero a la sensibilidad colectiva, muy puesta a prueba, ciertamente, por tales extravagancias.

Pero esto sólo, no medió. Habría que buscar otras causas, si bien aquí lo importante no es la causa sino el efecto.

Tampoco me parece que Julián del Casal sentara escuela, como no la sentó Rubén Darío, el más orientador de los poetas, aunque a uno y a otro se le supongan alguna vez discípulos.

El Modernismo no fue una escuela, sino una rebelión de las Letras; los que pretendieron imitar a su creador, fracasaron porque él era inimitable. A cambio, los que se conformaron con recibir a distancia la radiación de su poesía, la aprovecharon saludablemente.

Una metamorfosis semejante, aunque desde luego reducida a su escordo, puede haber sucedido entre nosotros con el autor de *Bustos y Rimas*. Aislado, introvertido, propiamente discípulos no le veo, sino más bien nuevos poetas ya distintos a él, pero surgiendo a la acción suya, de modo casi catalítico; sin apartarme del seguro terreno de la Física, diré que una suerte de emanación desconocida se desprendía de aquella poesía ultravioleta, aun cerrada en su cápsula de vidrio.

Por mucho tiempo anduvimos a través de la ausencia de Casal, y he aquí que de pronto nos hallamos en su presencia: como si después de andar a tientas por un largo túnel, saliéramos inesperadamente a un valle amanecido.

Reconocemos al Poeta, aunque no acertamos a señalar la ruta por donde hemos llegado a él, o él a nosotros. Porque mientras íbamos por la sombra, él ya la había rebasado, había dado, acaso, la vuelta a nuestro globo.

Los viajeros de países lejanos siempre disponen de más de una experiencia que contar, algo que atrae y funde en torno suyo, curiosidades y añoranzas de los que se quedaron, de los que no embarcaron en el mismo bajel de su aventura.

Ningún bajel más atrevido que el de aquel visionario, constantemente de viaje sin salir de sí mismo; ningún país más inquietante que el reflejado en sus pupilas, ni confín más impracticable que el traspasado por sus sueños.

Pero hay que abrir los fardos del viajero y contemplar la auténtica riqueza que echa, inocentemente, casi tímidamente a nuestras plantas.

Es el nuevo Aladino, el hijo de la viuda pobre a quien un genio sirve y transporta a fantásticos viveros de lunadas y estrellas.

Bástale, pues, frotar la lámpara y ya todo está allí brillando, rutilando, y no sólo al alcance de su mano, sino también de las de aquellos que contemplan el prodigio.

Al principio esas manos no se alargan, acaso temerosas, retenidas por la duda o la prevención. ¿Les será dado allegarse a esa mirífica poesía sin desvanecerla en el aire al primer roce de los dedos?

Ya luego no vacilarán; pese a su apariencia delicuescente, a su brillo un tanto fantasmagórico, son gemas de verdad, gemas raras, tal vez más raras que valiosas en otro orden, por cuanto no fue uso de nuestros orfebres pulirlas y engarzarlas en su oro.

Berilos, crisopacios, calcedonias juegan al arco iris en sus versos, bailan férica danza de colores en el estrecho espacio de un soneto.

Desde el primer libro al póstumo, lo vemos poco a poco deshaciéndose de recursos gastados, limpiándonos el verso de los viejos afeites, introduciendo en él nuevos y fascinantes giros. Como al buen caballero del romance, nunca podrá quitarle el dolorido sentir, pero él lo llama ahora con distinto nombre, con ungidora facultad bautista. He aquí un ejemplo:

> *En mi alma penetra el desaliento*
> *como el mar en el fondo de la roca.*

O este otro en que pide a los hados que conserven la dicha de una niña, que no permitan que en sus días primaverales

clave el dolor la garra
como enjambre de vívidos insectos
en verdes uvas de frondosa parra...

Si la poesía está hecha de imágenes, no hay duda de que él remueve la poesía; la originalidad de sus metáforas sorprende tanto como su perfecto ajuste al sentimiento o a la idea que quieren expresar. Pero ellas tienen también la virtud de galvanizar el viejo organismo de la Retórica y estimular en sus cultores la noble emulación de estos hallazgos. Ante todos ha puesto en evidencia, y simplemente por contraste, lo manido de los usuales tópicos o la pobreza de representar una sensación por otra, que casi equivale a no representar. Sin empaque de maestro, nos enseña a dar colores propios a esas sensaciones, líneas, volúmenes exactos, concretándolas en cosas que nos entran de inmediato por los ojos, por el oído y hasta por el olfato, hazaña inexplicable en quien vivía en mundo hecho de abstracciones.

Algunas veces la misma imagen usada cobra nuevo lustre en su mano, como cuando alude a la muerte en la elegía escrita con motivo del fallecimiento de la joven esposa de Miguel Figueroa:

La hoz de la implacable segadora
tronchó siempre la espiga más gallarda...

O la espina en el famoso soneto a su madre:

Pues salí de tu pecho delicado
como brota una espina de una planta...

Pero si la imagen o sujeto de su verso es de una presencia nítida, a cambio su paisaje sigue siendo un paisaje irreal nunca copiado por pintor alguno. Aun sin creer en ella, acaba por inquietarnos esa, su tierra sin nombre, sin puesto en ningún mapa.

¿Qué realidad puede entrañar, por ejemplo, la de aquel titulado *Idilio Realista,* donde se sueltan bueyes y lagartos, y sin embargo resulta todo tan velado por la bruma, tan tembloroso bajo el cielo, como si acabara de crearse?

Sorprende que en esferas semejantes, de aire sutil y enrarecido, alienten criaturas tan vivas como la Maja, el infante colérico rompiendo sus presas, o aquella Salomé con el lirio en la mano, que saliéndose del simple grabado en que él la ha visto, casi torna a danzar entre el asombro del mismo gran pintor que la pintó.

En su *Paisaje de Verano,* consigue cosas tan difíciles y poco intentadas en nuestra lengua como posar moscas en purísima poesía.

En ese otro que titula *Al Carbón,* irrumpe, no sé por qué, una leona misteriosa, la misma que habría de aparecer años más tarde en un famoso cuadro de Picasso.

Tampoco es de este mundo aquella *Marina* con su animal particular como él gusta de adjudicar a cada parcela de sus sueños; esta vez, un cuervo levantando en el pico el brazalete de una mujer ahogada. En otra ocasión, un toro astado en oro fino, o una oveja en llamas, o los pájaros negros pasando por los azules ojos de su padre.

Yo pienso que podría componerse un tratado entero y fascinador sobre la fauna y la flora de la poesía casaliana. En especial los animales adquieren en ella una categoría mitológica, un sentido casi apocalíptico.

Pero no son sólo los animales y las plantas y las metáforas y los paisajes, sino las mil facetas diferentes que nos ofrece su palabra, los recursos prescritos, ignorados, que él rescata para nosotros.

El descubre gracias insospechadas en cosas pueriles, insignificantes, casi nunca llevadas a poesía, como una mantilla, unos zapatos, una taza de desayuno que sus ojos ven hecha con tintes de la mañana...

No siempre ofrecen sus tres pequeños libros tal sugestiva originalidad, y esto es seguramente porque él nunca se propuso erigirse en creador aunque lo fue. Creo que nunca se propuso nada; nació, como sabemos, abúlico, enfermo de la voluntad, y murió sin tener tiempo de legarnos una obra madura, ya podados retallos y hojarasca.

Él maneja con tiento el verso nuevo, pero casi desde el principio le da cortes limpios y desusados. No se resigna a que octosílabos y endecasílabos se repartan ellos solos la gracia musical de las palabras.

Casal se hace de otros ritmos: los crea o los recrea, que viene a ser casi lo mismo. Mucho se ha discutido sobre a quien corresponde la prioridad en haber usado el dodecasílabo llamado de seguidilla, y el nombre suyo se menciona entre unos cuantos a ese efecto. Fuere él o no fuera, de todos modos una cosa hay cierta y es que nadie lo ha hecho con la ligereza y la elegancia que parecen un juego de su pluma.

Los endecasílabos en terceto monorrimos son fruto de su huerto, ya fuera de toda discrepancia. Los rubenianos de *El Faisán,* probado está que se escribieron después de los más bellos y sonoros de la poesía *En el Campo.*

Esta primogenitura se la concede hasta el propio erudito argentino José María Monner Sans, nada propicio a nuestro bardo, y que sólo para negarle la sal y el agua, ha escrito un libro sobre él.

¡Y qué decir del eneasílabo, verso difícil si los hay!... Unas veces duro al oído, y otras empalagándolo con un invariable sonsonete.

La mayoría de los poetas lo rehuyeron siempre o lo cargaron como un lingote, hasta que nuestro Casal muestra sencillamente su resorte escondido y entonces todos quieren tantear su manejo.

La última en hacerlo ha sido Gabriela Mistral en su reciente libro, *Lagar;* no un poema, el libro entero está vertido en este, siempre para mí, ingrato metro.

Pero si la ilustre chilena ha sido la última en usarlo, el poeta cubano fue el primero en introducir este verso en América.

No se engaña al respecto Esperanza Figueroa, como comenta Monner Sans. Esta modesta cuanto valiosa investigadora está en lo cierto al presumir que los versos dedicados a Hortensia del Monte no tienen, entre nosotros, precedencia.

Ya hemos visto que Casal amaba las formas libres del verso, pero no las desordenadas. Igualmente, de la poesía no tenía una idea demasiado amorfa –abstracta como dicen ahora– porque sintiéndola vivir en él, percibía sin proponérselo, casi sin tocarla, sus contornos, su color, su fragancia.

Entendía que las palabras, como buenos soldados, deberían estar siempre en su puesto. Nunca las revolvió ni les impuso función mezquina, ajena o vana.

Pero más que la forma o las palabras, preocupaba al bardo el oculto engranaje que les daba calor y movimiento.

Descontando a Darío, que lo penetra todo, el resto de los Modernistas ensayaban sus osadías en la métrica y en la gramática, en el lenguaje en fin, constantemente perforado para arrancarle la veta virgen. Palabras desconocidas por muy nuevas o muy viejas, constituían la obsesión de los iniciados, que sólo se sentían satisfechos cuando alcanzaban a llenar de una docena de ellas sus endechas.

El vate habanero cala más hondo. Para él se trata de cambiar tanto los medios de expresión de la poesía, como las mismas fuentes que habíanle abastecido hasta ese instante.

Existían al mismo tiempo de su advenimiento, y por lo menos en nuestra literatura, zonas prohibidas, cotos cerrados en los que no debería aventurarse cazador alguno: una suerte de inspiración tabú cerníase en el aire, que aun en el caso de columbrarse –porque lebreles de poetas tuvieron siempre buen olfato– ninguno se atrevía a insinuar.

Nuestro cubano se atreve. Tranquilamente alza la barrera y sigue andando... Pronto lo seguirán otros, pero ese gesto lo ha pagado él sólo.

Hablemos con ejemplos, que es buen modo de abordar las materias más reacias.

El Romanticismo, que dura todo el siglo XIX, había resucitado la medioeval adoración de la mujer, y la exigía como gabela vigente, de la cual varón alguno podía emanciparse en el terreno de las Bellas Letras... Que en otros, la exigencia ya perdía mucho de su imperiosidad.

Julián del Casal, que era hombre tímido, daba la talla de un poeta osado, otra paradoja de su personalidad, esta vez no advertida por Blanco Fombona. Temerariamente rompe esa pauta y abandona un culto que ya se hacía, en verdad, exagerado.

Por haberlo hecho, y hasta con cierta ostentación, con cierta ironía que linda a veces con algún recuerdo amargo y otras con inocente travesura, se le ha supuesto en más de una ocasión nuestro enemigo.

No lo creo yo así. Ya hemos visto qué fácil le era inspirarse ante una mujer hermosa, o simplemente dulce y fina. Por el contrario, me parece que él sabía mejor que muchos comprender la delicadeza de un alma femenina al mismo tiempo que la gracia de su envoltura material. Para ellas encontró siempre las expresiones más felices, y con frecuencia las cantó en sus versos. No era la suya letra muerta, y sabemos muy bien que jamás hizo objeto de sus cantos a aquello que no lo era de sus sentimientos.

Fue siempre muy sincero, aun a riesgo de no incidir en complacencias que bastante le hubieran convenido. No tiene empacho en jugarse y perder su empleo burocrático –único ingreso fijo en su existencia– haciendo del Capitán General de la Isla una semblanza poco grata. Tampoco lo tiene en desengañar a algunas jóvenes soñadoras –entre ellas la misma hija de Esteban Borrero– que se habían hecho ilusiones sobre los sentimientos a inspirarle; pues en aquella época, con esa generosidad que es sólo nuestra, las muchachas se apasionaban por los poetas, igual que hoy por los artistas de la radio.

Ésta, a la postre, debe ser una posición algo incómoda para ellos, y Julián la liquida a su manera; no puede amar a todas las mujeres, como hacían o fingían los jóvenes de su generación.

Y es justo reconocer que la serena elegancia con que se manifiesta en este extremo, la dignidad de toda su actitud, corresponden a una conciencia más viril que la de cualquier aprovechado seductor vulgar.

Por eso yo no considero a Casal un poeta adscrito al Romanticismo; le faltó, como arrancada de raíz, aquella tendencia a sublimar las criaturas, a caer de rodillas ante la obra de sus propias manos; él no lo hace ante nada y ante nadie.

Otro axioma inobjetable para los Románticos era la infalibilidad de la poesía bucólica. Al culto de la mujer correspondía el culto de la Naturaleza, tan arraigado en todos los terrenos, que ellos siguieron respetándolo, pese a que había sido impuesto por los clásicos.

En efecto, Virgilio, Teócrito y Horacio, entre otros muchos, se encargaron desde pretéritas edades de dejarnos trazada ya esta senda con sus bien burilados idilios, églogas y pastorales. En fin, que eran ya más de dos mil años de acatar y remedar idéntica delectación.

Casal ni la remedia, ni la acata; también se atreve a eso. Sin descender jamás del rango lírico del verso –que es lo difícil–, el bardo huye del campo y canta al impuro amor de las ciudades. Confiesa que le agrada más la compañía de una regia pecadora que la de una virginal pastora, y se encuentra mejor en grata alcoba que en medio de un gran bosque de caoba.

No necesitaba más para que los fariseos de todos los tiempos rasguen sus vestiduras... Tan inaudita declaración equivalía a alzarse contra la vieja sabiduría que, por vieja y por sabia, tenía todos los derechos; o al menos los defendía con ese ahínco que se pone en defender aquello en que hemos creído mucho tiempo.

A Casal no le importa. Él es un ausente, un viajero, ya se ha hecho a esa idea; está de paso y no se entera de protestas, no lo arredran las mofas, ni siquiera el silencio en que por un instante parecerá naufragar su palabra.

En rebeldía análoga vuelve a incurrir con el poema titulado *Cuerpo y Alma*. El alma todavía se la deja a los antiguos vates, con su ración de lirios y de cirios, pero el cuerpo es cosa suya, y desde luego lo más logrado del empeño, al igual que el Infierno es superior al Cielo en *La Divina Comedia*.

Aquellas rebeldías casalianas han abierto la liza para muchas rebeldías actuales. Hoy no hay zonas prohibidas, ni muros de contención, y como suele suceder también, y en todo, bastante se ha abusado de ello.

De todos modos, su rebeldía fue hermosa y eficaz; ella encarna la médula, el duramen del árbol que era pequeño entre sus manos, y todavía nos da sombra...

A tal punto, que creo que más que de aquel estilo novedoso, o aquella exótica temática, nos creció el árbol de la independencia de sus convicciones, de su valentía en exponer ideas y sentimientos que podían chocar con el ambiente, pero nunca perder aire de altura.

Véase, pues, qué importancia tuvo para la poesía, en trance de morir de consunción, contar con el espíritu inconforme y capaz al mismo tiempo de abrirle nuevas fuentes de energía. No hay en todo rebelde esta aptitud nutricia, y en él la hubo ciertamente.

¡Qué presencia entonces y desde entonces, la de nuestro Ausente, que hace y deshace y vuelve a hacer con un etéreo brazo de fantasma, en cuyo oficio cobra insospechados músculos y nervios!...

No sería él el único en la gesta, pero, de mano de José Martí, no sólo adelantóse a sus congéneres, sino que pesó más en los futuros creadores.

No fue Casal un genio como aquél, ni era necesario que lo fuese para cumplir esa misión líricamente evangélica.

Sabemos, asimismo, que en su obra persisten rezagos del mal gusto reinante a fin de siglo, y sobre todo aquel muy lamentable acento plañidero del que jamás pudo librarse. Es posible que en él rindiese el bardo su tributo al Romanticismo.

Quizás pecó en su angustiosa búsqueda de querer identificar con ajenas y determinadas tierras de este mundo el país misterioso que era suyo. Pero desconocerlo fue más desdicha que pecado, y al perdonárselo, debemos perdonarle también otro más grave desconocimiento, el de la hermosa Isla que no quiso cantar porque era esclava.

Había en él un excesivo pudor sobre este extremo; su hermana y confidente de la adolescencia, doña Carmen del Casal de Peláez, presente, para honor mío, en este acto, me ha contado con su palabra fresca todavía, que sin ser «hombre de armas tomar», Julián sufría en su carne aquella esclavitud; pero la carne es floja muchas veces, aun cuando el espíritu esté dispuesto. Su caso es el de muchos, y bien fácil de comprender si le sumamos la precaria salud en quiebra siempre, el no muy definido adolecer que pronto lo llevaría al sepulcro.

Como un detalle interesante y poco divulgado, diré que doña Carmen recuerda en todos sus detalles familiares que el soneto

Día de Fiesta fue un desahogo de la amargura que en su amado hermano producía el espectáculo de la ciudad puesta de gala por la visita de la Infanta Eulalia.

No quería tocar aquello, solía decir, olvidando que los poetas llevan dentro un Rey Midas capaz de transmutar en vivo oro de poesía cuanto sus manos toquen.

Ése es su privilegio y también su desgracia porque como el oro poético ni por derivación sustenta cuerpos, el poeta muere al cabo de inanición, aun en los casos en que el mundo se crea perfectamente alimentado.

No muere el hombre, desde luego, que tiene vida dura y facultad de adaptación; muere el poeta que era o pudo ser.

Pero también sucede algunas veces que, cuando poeta y hombre surgen del horno celestial fundidos en una sola pieza, cuando muere el poeta, muere el hombre, y así, hombre y poeta, murió Julián del Casal.

Era el 21 de octubre de 1893. Los primeros nortes traían ya sus dardos fríos, y alguno se clavó artero en el endeble pecho del poeta.

Como su amado Rey Luis de Baviera, como su hermano Shelley, murió Julián ahogado.

Se ahogó en su propia sangre, y a los que todavía me preguntan de qué dolencia se muriera, les digo que fue de eso, de su sangre.

Si al transponer el gran umbral, alguien como en sus versos iniciales le preguntó quién era y de dónde venía, bien pudo contestar, seguro ya, con esos versos mismos:

> *Soy un poeta nacido*
> *en región americana,*
> *famosa por sus bellezas*
> *y también por sus desgracias...*

(1956)

JOSÉ DE LA LUZ LEÓN

SUELE SUCEDER, Y LO SABEMOS los que andamos en estos trajines de la pluma, suele suceder decía, que un escritor sea más
conocido y admirado por páginas a las que él no concedió importancia alguna, que por aquellas otras a las que fiaba más su
éxito, incluso las que él hubiera querido que por ellas se le cono-
ciese y admirase.

Gabriela Mistral, para no citar más que un ejemplo ilustre, había llegado a aborrecer poesías que le dieron fama, como *El Ruego*, y según propia confesión, las hubiera suprimido de las futuras ediciones de sus obras, de no ser ellas sobradamente conocidas
del público.

En cierto modo, y tal vez por eso mismo, pudiera explicarse la
ojeriza: cuando el íntimo producto de la mente o del sentimiento
llega a hacerse demasiado popular, da la sensación de que ya está
«manoseado»; y no hablemos de la malhadada costumbre de «poner» música a un poema, o sea, a lo que no debe llevar más música
que la de las palabras mismas, bien escogidas y bien ensambladas,
que el idioma da para eso.

No sé si éste sería el caso del eminente escritor y académico a
cuya memoria ofrecemos este acto; pero sí he podido comprobar
que en Cuba y al menos por la que pudiéramos llamar hoy la ge-

neración madura, José de la Luz León es principalmente conocido por una serie de amenas crónicas que publicaba en el desaparecido periódico *El Mundo,* bajo el seudónimo de Clara del Claro Valle.

Lejos de mí negar valor a estas crónicas si las consideramos sólo como tales, y como tales bien logradas en la ligereza del estilo, en el dato curioso, en la ingeniosa observación. Hasta el seudónimo utilizado, que decía a las claras que lo era, intrigó desde el principio a los lectores, que no sabían a quién adjudicarlo. Y creo que, desde el principio también, se sospechó que era un varón el que se escondía bajo ese ropaje femenino, lo cual, por supuesto, agitó más el fermento de las lucubraciones.

Lástima fue que, al dedicarse el diario a Escuela de Periodistas, se suprimiera precisamente aquella tan leída sección donde podía aprenderse mucho de ese difícil arte de historiar el minuto: facilidad de expresión, precisión de la idea, agilidad para apresar en el aire la palabra que se nos escapa... Todo esto es necesario para no aburrir a los lectores de diarios, que generalmente están de prisa y sin ánimos de perder el tiempo.

Ahora bien, pudiera parecer una incrongruencia el hecho de que un hombre de tan vasta cultura como José de la Luz León, que buscó, halló y reunió, peregrinando por archivos y bibliotecas de Europa, un material precioso, y que escribió cuando menos dos libros que merecieron el difícil elogio de Gregorio Marañón y Salvador Madariaga, debe sin embargo su renombre literario a un género por sí mismo desprovisto de peso, aunque Luz León lo haya tratado como un maestro. Por el milagro de la letra impresa que se repite todos los días, el periodista gana en popularidad, pero dispersa en el oficio sus posibilidades de alcanzar obra más responsable y valedera ante el juicio del futuro.

Nace nuestro homenajeado de la tarde a fines del pasado siglo y en el extremo oriental de la Isla, o sea, en la Punta de Maisí. Tuvo lugar este suceso feliz para las letras patrias en hogar modestísimo, pero ya ennoblecido por nuestra única y genuina heráldica: la mambisa.

De poder recordarlo, nos habría dicho que, en estos inicios de su vida, fue su canción de cuna el golpeteo de las olas en el cercano acantilado y el chillido de las gaviotas revolando en círculos sobre la paramera solitaria.

Contábame él, con ese humor tan francés que le era característico, que el nombre de su lugar de nacimiento, coincidente con su patronímico, dio ocasión a que más de una vez le preguntaran si él había nacido en un faro.

Pertenece José de la Luz, por la época en que viene al mundo y aún más por selección y vocación, a esa juventud que aflora entre las dos guerras mundiales, juventud tan interesante como tan poco estudiada, la cual si no podemos en rigor calificar de brillante, como la que le antecedió –nada menos que con Rubén Darío a la cabeza– si amerita que nos detengamos un poco en los que la representaron.

Al igual que la precedente, estaba ella formada en su mayoría por jóvenes de origen hispanoamericano, para quienes París seguía siendo la sagrada Meca de sus sueños.

No nos permite el tiempo prolongar este paréntesis abierto para ella, pero siquiera sea de pasada, me gustaría rememorar algunos nombres entre los olvidados y los que aún perduran: entre éstos últimos estarán siempre los de los peruanos César Vallejo, con sus *Heraldos Negros,* y Ventura García Calderón, que escribió cuentos dignos de Maupassant. No así el costarricense León Pacheco, que dilapidó su talento en cartas que se perdieron; el nicaragüense Eduardo Avilés Ramírez, que desde París enviaba crónicas muy saboreadas a los diarios habaneros; el venezolano Francis Laguado Jayme, cuyos artículos incendiarios le acarrearon muerte artera. Estaban igualmente los cubanos, en su mayor número pintores y algunos entre ellos que se harían famosos, como Víctor Manuel y Wilfredo Lam, fallecido en estos días. También Antonio Gattorno, que popularizó sus guajiros en París y en Nueva York. Armando Maribona, que manejaba el pincel como la pluma y nos dejó un libro delicioso sobre aquel pedazo de América trasplantado a la orilla del Sena. ¡Y cómo no recordar ahora, ya que hoy nadie lo recuerda, a Pastor Argudín! Era un pintor vigoroso que realizó el milagro de unirse a los vanguardistas sin copiar a nadie ni pintar disparates.

A esa nueva bohemia, menos colorista y más escéptica, iba a incorporarse el joven baracoense que en 1918 ya se daba a conocer en Cuba como escritor de fibra ya aspirante a la carrera diplomática, aunque por el momento sus esperanzas tenían que contentarse con deambular de una en otra por las redacciones de los periódicos, alternando el oficio de tipógrafo con el de redactor.

Entre las cosas buenas o malas, según se administraran, que tenían antes las misiones diplomáticas, podíamos contar la oportunidad de superarse que brindaba a jóvenes inteligentes, a veces de verdadero valor, que no disponían de medios idóneos de conseguirlo y realizar así la obra para la cual se les consideraba aptos.

Diplomáticos fueron Rubén Darío, Gabriela Mistral, Amado Nervo y tantos otros que pudiera citar sin salirme del Hemisferio:

de no haberlo sido, es casi seguro que no hubiéramos recibido en herencia los frutos de su intelecto.

El ingreso en la diplomacia les daba oportunidad de viajar, que es ya por sí algo semejante a matricularse en la escuela del mundo: les permitía aprender idiomas en su medio natural, no muertos y embalsamados en cursillos intensivos o en grabaciones estereofónicas; en fin, les ofrecía, no diremos que el ocio, pero sí el necesario desasimiento de los cuidados de cada día, estorbadores de su verdadero quehacer. Si luego el receso puesto en sus manos devenía estéril o fecundo, era ya cosa de quienes merecida o inmerecidamente lo disfrutaron. Fecundo, en grado sumo, fue para nuestro amigo este período de su vida: ya en 1920 había comenzado a escribir el que habría de ser uno de sus mejores libros: *Amiel o la Incapacidad de Amar.*

Y dato importante a tener en cuenta: el libro precede en el tiempo al de otro amielista famoso: el escritor y médico Gregorio Marañón. Del cubano elogiará otro escritor entre los célebres, Salvador Madariaga, el acierto de los textos escogidos para el análisis de una personalidad tan compleja, acierto al que pudiera añadirse el mérito de ser muchos de ellos inéditos, traducidos por él directamente de los originales que al fallecimiento del autor se depositaron en la Universidad de Ginebra.

Es obvio que, para tener acceso a ellos, necesitaba de un permiso especial de la Institución que celosamente los guardaba y que éste no se le hubiera otorgado de no exhibirle el novel investigador no sólo las credenciales de su intelecto, sino también las de su investidura diplomática, ciertamente muy modesta entonces, pero suficiente para completar las otras.

¿Y cómo –pensarán los que me escuchen o me lean–, cómo pudo este muchacho pueblerino que habíamos dejado rondando las redacciones de los periódicos, atraerse, apenas tanscurridos unos años, el interés de prestigiosas instituciones y personalidades europeas?

Trataremos de explicarlo retomando el hilo de la narración, algo enredado a partir de ese momento.

Volvamos a colocar a nuestros jóvenes en la primera meta de sus aspiraciones, o sea, en aquella Habana que los que la conocieron han evocado siempre con nostalgia.

Era ya un escritor como dijimos, pero quería además ser un buen escritor, capaz de aproximarse a aquéllos cuyos libros habían alimentado la soledad de sus serranías.

Y como no se puede ser buen escritor sin disponer también de una buena cultura, debemos pensar que, por esos tiempos, ya el recién venido de los montes orientales había echado los cimientos de la suya.

No podría explicar, cronológicamente hablando, ni aún lógicamente, cómo logró hacerlo: me perdería en un laberinto de suposiciones, citas de fechas y nombres indios que aún sobreviven en nuestra geografía. Todos los recorrió, con todos se identificó y en todos aprendió algo.

Entre los varios oficios desempeñados panelucrando, se cuenta el que menos pudiéramos sospechar en una personalidad como la suya, más cerca del hedonismo que de la ascesis: fue también predicador protestante.

Ello le permitió, según decía, aficionarse a la lectura de la Biblia y citar de memoria, unos tras otros, versículos enteros que le resultaron muy útiles, no sólo en su labor de proselitismo, sino también como conocimientos a aposentar en su bagaje de aprendiz trashumante, aprovechables siempre a todos, hombre de letras.

No creo, sin embargo, que estas andanzas bíblicas influyeran mucho en el futuro escritor.

De todos modos, barajando y mezclando estas lecturas con las de los clásicos griegos y latinos —vertidos al español, naturalmente—, así como los de nuestro gran Siglo de Oro y hasta los clásicos y no clásicos franceses, que pronto pudo leer en la lengua original, consiguió aquel provinciano andariego hacerse de una cultura que nadie le enseñó ni le encauzó y de la cual fue al mismo tiempo su alumno y su maestro.

Su perfecto dominio del francés es otra incógnita en su formación intelectual: cuenta don José María Chacón y Calvo que todavía en 1923, cuando no llevaba Luz León mucho tiempo en Europa, Antonio Marichalar, el sabio crítico español que tenía la lengua de Racine como habla familiar desde su niñez, le hizo vivos elogios al francés de José de la Luz, de la fluidez y la elegancia con que se expresaba en un idioma que da mucho, pero también exige mucho de quien lo emplea.

Y Jorge Mañach, nada propenso a la lisonja, escribe: «Uno se sentía orgulloso en París al ver que el "Ministro" cubano era hombre que hablaba el francés a maravilla, que se movía con sobrio desembarazo, que llevaba un diálogo con intención, sustancia y matiz...».

Y añade: «En fin, que no se ponía colorado cuando Bidault le dirigía la palabra, sino que le contestaba ágilmente la frase aguda».

Mucho tiempo después, ya de regreso él de aquellos sus años luminosos, como se lamentara conmigo de la imposibilidad en

que las circunstancias reinantes nos ponían de publicar tanta obra
creada con tanto esfuerzo, no pude por menos de preguntarle por
qué motivo, habiendo vivido largo tiempo en Europa y conociendo como conocía el idioma francés, no publicó allá sus libros en
esa lengua.

No contestó a mi pregunta. Pareció como si de momento se
trasladara a aquellos tiempos y a aquellos lugares ya tan inaccesi-
bles para nosotros.

Pero yo quería una respuesta, e insistí: por lo menos el *Amiel* y
el *Benjamín Constant,* que son figuras de interés universal, siempre
vigentes, habrían sido bien acogidas por la crítica francesa, con lo
cual se les aseguraba una mayor difusión. Y sea como fuere, bien
hubiera valido la pena pasar por esa prueba del fuego, único modo
de saber, si no nos ciega la vanidad, a qué atenernos sobre la propia obra.

Como si regresara de su evasión, murmuró:

—Sí... Creo que pude hacerlo, pero no sé... Me hubiera parecido una infidelidad...

Y ante la expresión aún más interrogadora de mi rostro, explicó:

—Para mí era un placer hablar en francés y hasta me parecía,
seguramente por razón de la larga ausencia, que lo hacía mejor
que en español. Pero escribir es otra cosa, Ud. lo sabe... Y además,
siempre tuve a los que escribían en lengua ajena, con desdén de la
propia, por desertores del idioma.

Este amor al habla materna se manifestaba en el modo con
que gustaba de pulir muchas veces una palabra, como queriendo
sacar de ella nuevas facetas, nuevas luces. Así escribía «una mañana
inverniza» en vez de una mañana invernal, porque en efecto «inverniza» tiene un matiz más leve, más delicado que invernal. Una
mañana invernal puede entenderse como una mañana muy fría,
en tanto que una mañana inverniza sugiere siempre la de una de
nuestros inviernos tropicales, o la de cualquier país cuando aún el
invierno no ha acabado de entrar o ya se va alejando.

Otras veces logra con ellas, independientemente de su significado, o dándoles un significado equívoco, un efecto enteramente
contrario, con sólo introducir un vocablo poco eufónico donde
menos se le esperaba; así cuando, viajero en el tren que le conduce
a Trinidad, al pasar frente a la Torre de Iznaga, medio en ruinas,
su contemplación lo sumerge en románticas divagaciones en torno
a la caducidad de las cosas... y de pronto irrumpe en el ensueño
una voz que grita: «¡Sopimpa!» Sobresaltado, se vuelve buscando
en derredor al que gritó y es necesario para tranquilizarlo que al-

guien le señale al conductor, que se había limitado a anunciar el nombre de la próxima parada.

No desea que se diga «martiano» sino «martiense» o «martista» o «martiólogo» o «martiólatra», porque el diptongo «ia» precedido de una «t» obligaría a pronunciar «marciano», lo que equivale a suponer habitantes de Marte a los fervientes admiradores del Apóstol.

Y en llegando a nuestro hombre máximo, no cree oportuno hacer su discurso de ingreso en la Academia, contando y elogiando sus glorias, de suyo bien contadas y elogiadas. Eso ya lo hizo, breve pero útilmente, en una especie de resumen que en los inicios de su carrera preparó para conocimiento de extranjeros, entonces no muy bien familiarizados con este gran hijo de América.

Desde luego que un discurso académico se presta más a una labor de taracea, y, en consecuencia, hace algo más propio del paciente miniaturista que es él en el fondo: se pone a contar las veces que la palabra «cumbre» aparece en la prosa «martiense». A contarlas y analizarlas con regodeo de artífice.

Pone esta voz a contraluz de otras voces como «rosa» y «caballo», que también se entretejen profusamente en aquella urdidumbre rutilante y cegadora. Y al fin, luego de un cuidadoso examen a lo largo del cual creemos verlo lupa en mano, llega a la conclusión de que por tales y cuales razones, es «cumbre» el vocablo dilecto del Apóstol.

La palabra «saudade» lo enamora; desde luego por su exquisita eufonía, pero también por sus trascendencias semánticas. Cree adivinar en ella un sentido nuevo, un sentido sutil y misterioso.

No equivale a nostalgia, ni a remembranza, ni siquiera a ese «placer de estar triste» de que nos habla el poeta.

Pero este regusto fonético, este paladeo de las tres mágicas sílabas, no hay que tomarlo como una modalidad exclusiva de sus refinamientos lingüísticos, pues que sabemos ya que ésa es una palabra que le envidian al portugués todos los idiomas de la tierra.

Hubiera parecido natural que hombre tan entregado al cultivo de las letras, a la investigación histórica y filosófica, a la búsqueda del dato poco conocido en lo que llama la Pequeña Historia, hubiera parecido natural, repito, que no le sobrara tiempo ni gusto para interesarse en sus menesteres oficiales; y, sin embargo, no fue así. Y es que en la proteica personalidad de José de la Luz León había, de verdad, un diplomático.

Reunía las cualidades requeridas para serlo cabalmente, ese conjunto de piezas minúsculas, delicadas y precisas, semejantes al mecanismo de un reloj. Puestas en movimiento sirven al propósito de estos funcionarios, que en un momento dado pueden decidir la suerte de una negociación importante, de un convenio o de un tratado y hasta, en casos extremos, la de la nación propia o la extraña.

Suyos eran la «souplesse», el tacto y el dominio de las emociones, así como la habilidad para conciliar intereses, o desenmarañar los asuntos más enrollados.

No tuvo tiempo sin embargo de ejercitar estas facultades. Como empezó la carrera por el primer peldaño, y uno a uno los fue subiendo hasta llegar a arriba, la ascensión le llevó años y fue ya a última hora que, en posesión del cargo de Embajador, vino a tener las riendas en la mano.

No pudo tenerlas en momento más difícil: pero cuando las soltó pudo decir que lo hacía con serenidad y con decoro. La declaración pública que formula entonces, ampliamente difundida por la prensa de Cuba y del país en que servía, pudiera estimarse como un documento ejemplar en su clase y en su circunstancia.

De vuelta a la patria, José de la Luz se refugió en sus libros: había terminado su peregrinaje por el mundo, y sólo le quedaba peregrinar por sus recuerdos.

Le quedaba algo más y algo no menos valioso: la esposa inteligente y sensitiva que habría de acompañarle en los años tristes que aún le quedaban por vivir.

¿Los vivió realmente? No creo que sea exactamente vivir el hecho de mantenerse en este mundo sitiado por las enfermedades; las físicas y las morales, porque aunque de frente a éstas podría todavía defenderse con su filosofía; a cambio, frente a las otras se veía impotente para detener su asalto, el de la artrosis que le aherrojaba las piernas, el del enfisema que lo iba ahogando lentamente.

Pero como aún conservaba cerebro y manos libres, y libres los conservó hasta el final, hasta el final siguió escribiendo infatigablemente, ardorosamente, fiel a su vocación y a su destino.

Nos cuenta Alice Dana, su viuda, que sólo unos minutos antes de entrar en coma fue que se le cayó la pluma de la mano.

Su obra publicada es breve; la inédita es copiosa. Una y otra aparecen con frecuencia entreveradas de cartas. Siendo como fue Luz León un admirable epistológrafo, no es de extrañar que, apasionado de ese estilo, gustara de introducirlas en sus libros, auténticas unas veces, como en *La Carta de Amor en la Historia;* presumiblemente imaginadas otras, como en *La Vida Amorosa de Fernando Monteverdi,* de marcado sabor autobiográfico.

Entre las obras publicadas ya cité las más conocidas, que son el *Benjamín Constant* y el *Amiel;* son lo que pudiéramos llamar biografías interiores, vale decir el estudio detallado y moroso de las reacciones psíquicas de estos personajes frente al medio en que les tocó vivir.

En la de Amiel, el medio no influye mucho, salvo tal vez el religioso lleno de restricciones, propio de su país. No es imposible que, para librarse de su influjo, el profesor ginebrino se refugiara en sí mismo, y por tanto su trayectoria anímica se reduce a andar y desandar mil veces un mismo tramo de alma; que nuestro analista lo sigue en esa penumbra, encargándose de proyectar en ella su propia luz, es cosa que no necesito yo decir, pues la confirman plumas más autorizadas que la mía.

Pese a su larga ausencia, no se puede acusar a José de la Luz León de ser un escritor desarraigado de su suelo, pues si bien espigó en otros campos temas para sus obras, también ofreció a Cuba algunas dignas de tomarse en consideración, como las que dedica a Sanguily y a Piñeyro, y la que deplora el olvido en que se tiene a la filosofía de Varona.

Pero el que es, a mi sentir, su más hermoso libro, es el consagrado a Ramón Emeterio Betances, el magnífico portorriqueño de barbas de profeta, que tanto amara a Cuba y Cuba ha olvidado tanto.

Suelen ser las naciones más ingratas que los hombres mismos, o tal vez lo parezca porque nos duelen más sus ingratitudes.

Revisando la obra inédita de José de la Luz León, hallé en la carátula de algunas de ellas, donde debiera de estar un día el pie de imprenta y la fecha de su publicación, estas palabras reveladoras de lo que fue siempre su íntima pena, ahora disfrazada de un humor que quiere ser festivo y es amargo:

«EDITORIAL LA ILUSIÓN, FILIAL DE LA NADA, CALLE DE LA RESIGNACIÓN ESQUINA A LA ESPERANZA»

Veamos ahora los títulos tan sugeridores de estas obras que probablemente nunca verán la luz:

Estampas Queirozianas. Una suerte de mosaico compuesto por escenas, caracteres y pensamientos del escritor portugués, cuyo colorido combina y destaca con su propia prosa Luz León.

Indiscreciones y Recuerdos de la Vida Diplomática. Recolección en forma de diario personal de sus impresiones, que cobran al final particular interés para nosotros.

Manuel Sanguily y el Historial del 68, con buen soporte de documentos poco conocidos.

Enrique Piñeyro al trasluz de su intimidad. Un conjunto de cartas inéditas del mismo a ⋅Sanguily, entregadas por el hijo de este último al autor.

Mentiras de la Historia y Verdades Refranescas, que es un libro más flojo.

Personajes de un mundo ya extinto, donde habla de los que pudo conocer a lo largo de su carrera diplomática, algunos ya incorporados a ayer. Así desfilan ante nuestros ojos escritores de fama mundial como Unamuno, Marañón, Madariaga, Gómez Carrillo; teóricos en esa rama del saber que es el Derecho Penal en su fase científica, como Guillermo Ferrero y Gina Lombroso; hombres públicos cuyos nombres llenaron en su hora las columnas de los periódicos, así un Georges Bidault, un Alcide Gasperi, un Eduardo Benes; otro cuya gloria habría de prolongarse por más tiempo, el Gral. Charles de Gaulle; un rey destronado, Carol de Rumanía. Mme. Lupescú y Edda Mussolini.

Y por último, la obra que he dejado expresamente para el final de este ensayo: *Martí, María y las dos Carmen.*

En ella se nos revela un aspecto todavía inédito del incansable buceador de almas que fue José de la Luz León, y lo descubrimos en relación con otro aspecto también inédito de un problema nuestro: un problema del que se ha hablado poco y habría sin embargo algo más que decir: aludo al de Carmen Zayas Bazán, la esposa de Martí.

Comienza José de la Luz ese libro, que de haberlo completado hubiera sido apasionante, lamentando con buenas razones la teoría prevaleciente en Cuba más que en otra parte de que no se debe escarbar en el arcano de ciertas existencias, que la vida privada es siempre sagrada, pero más debe serlo en el caso de los grandes hombres.

A este respecto pudiera yo añadir que no se observa igual escrupulosidad cuando se trata de las grandes mujeres: en la intimidad de sus sentimientos, todos creen tener derecho de acceso.

Pero bien, concretemos la cuestión a los grandes hombres, y más concretamente en el que nos ocupa ahora, en José Martí.

En contraposición a ese criterio, que juzga propio de mentes aldeanas, dice José de la Luz León que es precisamente en la vida privada de los varones insignes donde a menudo se derivan los actos de su vida pública.

No sé hasta dónde podemos aceptar la aseveración, pero creyéndolo así, el autor sigue la vida del héroe desde su primer exilio en Zaragoza hasta el último en Nueva York.

Entre estos dos puntos cardinales están las repúblicas hispanoamericanas donde también, como sabemos, dejó Martí huellas sentimentales de su paso.

Rosario de la Peña, María García Granados... Pero don José pasa por alto a la primera, resta importancia a la segunda y, sin negársela a Carmen Miyares –¡cómo iba a hacerlo!–, afirma que el verdadero amor de José Martí fue la mujer con quien se casó.

Pero tampoco ella lo fue: dando a la palabra amor un sentido más amplio, un sentido ecuménico, pudiéramos decir, cabe pensar que a ninguna mujer le fue dada esa gloria, pues el verdadero amor de Martí fue Cuba.

Es el único con todas las características de una pasión: ¿qué otra cosa pudieran ser el pensar contante en ella, la exclusión de todo sentimiento que pudiera estorbarle –aunque doliese hacerlo– y hasta ese oscuro instinto de inmolación?

Pero aun siendo así, hay que admitir también que, después de Cuba, pudo amar a su esposa, como ella lo amó a él, siempre en segundo término, porque más que al esposo amó seguramente al hijo y quizás también a los principios inculcados por sus mayores, que por lo demás juzgaba tan inconmovibles como Martí los suyos.

Ese segundo término común a ambos no significa en modo alguno tibieza en el cariño, que puede incluso ser muy grande, aunque con menos capacidad de comprensión y sacrificio.

De ahí precisamente la tragedia que engendran estos sentimientos encontrados.

Que él tuvo un alto concepto de su mujer es innegable porque así lo deja saber en cartas confidenciales a sus amigos; e innegable también que en ese concepto la mantuvo, aun cuando no esperaba hallar en ella nada parecido al espíritu de una Mariana Grajales o una Manana del Toro.

Hasta dónde o hasta cuándo mantuvo a la esposa en el nivel que le diera, no lo podemos precisar porque más de una vez se le escapan alusiones muy amargas. Pero no hay constancia de una total y real rectificación. ¡Cuesta tanto al alma noble convencerse de que equivocó su fe!

Por otra parte, ¿podría él ignorar que involuntariamente había hecho la desgracia de una mujer que era, en su moral, irreprochable? ¿No le cabía alguna responsabilidad en el fracaso, como el más inteligente de los dos, y el más conocedor de la vida?

Tampoco Carmen le dio felicidad, pero él tenía un ideal que llenaba ya toda su vida, y ella, fuera de aquel, su amor de hombre, no tenía ninguno.

Por amor al hombre trató de adaptarse a la existencia dura y azarosa que le esperaba a su lado; pero ya los comienzos pusieron a prueba el temple de la recién casada, que salió airosa de ella, lo sabemos por él mismo. Mas, ¿pudiéramos exigirle que mantuviera esa actitud estoica toda la vida?

Piénsese que por razones o sinrazones que no vamos a examinar ahora, ella no le veía sentido al sacrificio. Y el sacrificio es hacedero y hasta añorado cuando lo anima un ideal, pero nos revolvemos contra él cuando el ideal falta o se desmorona...

De lo que fue la luna de miel, podemos hacernos alguna idea por lo que él dice en otra epístola que es como un aguafuerte alucinante: «Aquí estamos, Carmen con aureola. Yo con amor y penas. Me oprime el corazón su nobilísima tranquilidad. Cada uno de sus días vale por uno de mis años. Esta luna de miel, errantes, vagabundos, era tal vez conveniente a nuestras bodas. Peregrinos en la gran peregrinación. Duerme entre salvajes, bajo el cielo azotado por los vientos, alumbrada por las antorchas fúnebres del ocoque...»

Es importante recordar esto cuando haya que adentrarse en el problema, si es que alguien se decide a aprovechar el sendero abierto por José de la Luz León.

Yo me he limitado a exponerlo para mejor comprensión de ese nuevo aspecto que, como dije antes, nos revela nuestro académico en su último trabajo.

Allí, y a manera de caballero andante, él asume la defensa de Carmen Zayas Bazán ante el juicio de la Historia, y es el primero que se atreve a hacerlo.

Ya un argentino, Ezequiel Martínez Estrada, había intentado, no defenderla, como cree Luz León, sino más bien explicar su caso, que no es lo mismo. Pero aun esto lo hace como de pasada, como si en realidad esta mujer hubiera sido un episodio lamentable aunque intrascendente en la vida de Martí. A la esposa del Héroe (así, con mayúscula, como él lo escribe) le dedica veinticinco renglones en un libro de quinientas páginas.

José de la Luz León hace algo más: reúne trece cartas que aún conservan calor humano y las convierte en punto de partida para elaborar su tesis. En torno a estas misivas va engarzando elementos de juicio que, una vez ordenados y fortalecidos con nuevos datos, habrían de redondear un libro.

Es pena que hoy tengamos que considerarlo inconcluso, casi un boceto, ya que la enfermedad o la desilusión le impidió concluir lo empezado. Pero, tal vez, como quedó, estimo que hay allí buen acopio de razones y papeles, el suficiente al menos para considerar la obra que pudo ser.

Los papeles son pocos, pero muy valiosos: once cartas dirigidas por ella a Martí, entre los años 1880 y 1890, y dos más de una tía y una hermana esforzándose por volverlo a él al amor de su esposa. Es de pensar que hubo más cartas en esos diez años transcurridos: Luz León lo sospechó siempre y sospechó también el lugar donde podían encontrarse; la casa donde vivió y murió el hijo de Martí, casado con doña María Teresa Bances y Fernández Criado, recientemente fallecida.

Era natural que este caballero conservara al menos los borradores de las escritas por su madre y con mayor razón las que ésta recibió del esposo.

Con tal motivo, conociendo José de la Luz la amistad que me unía con la señora Bances Vda. de Martí, me pidió que intentara, cerca de ella, descifrar el enigma de las cartas, cosa que hice por tres veces, llevada no sólo por su interés, sino también por el mío.

Carmen Zayas Bazán se había ido convirtiendo en una sombra inquietante para mí, en una figura patética que se deslizaba como un fantasma por las páginas de nuestra Historia.

Me apena confesar que no tuve éxito en mi misión: en las tres ocasiones en que, sin testigos, le traté del tema, la dama que fue siempre gentil por naturaleza y gentilísima conmigo, me aseguró que nada sabía de tales cartas, aunque, no sé si por librarse de mi insistencia, añadió la última vez que ella presumía que toda esa correspondencia había sido destruida por doña Carmen, su suegra, que tenía un carácter impetuoso.

Había entonces destruido la única prueba que podría tal vez reivindicar su memoria ante los cubanos: la única capaz de revelar en su verdadera magnitud el tenso drama existente entre los dos...

José de la Luz León no lo aceptó nunca y he oído después de su muerte que se hallaron papeles importantes en la casa de Teté Bances, cuando la ocupó el Gobierno al fallecimiento de su dueña.

Pero como de esos papeles se sigue hablando *sotto voce* y ahora yo tendré menos que antes acceso a los mismos, dejo las cosas como están, recomendando, eso sí, a los posibles investigadores, que se acerquen a esa fuente, a mi juicio bastante esclarecedora, que es el trabajo de José de la Luz León, aun incompleto como quedó. De Carmen no quedan más que esas cartas, porque hasta sus retratos han desaparecido.

Diríase que todos se recogieron para que en el futuro nadie pudiera recordarla.

Los cubanos, que han hecho un culto de la memoria de Martí, quisieron siempre separarlo de ella, con lo que no hacen más que lo que ella misma hizo. Pero el destino humano no se rige siempre por las humanas voluntades, y lo que no se unió en la vida, pudo unirse en la hora de la muerte, y hasta después de ella, como una consecuencia suya, si se me permite la expresión.

Carmen Zayas Bazán había pasado todos esos años luchando por apartar a Martí de la guerra, pero, cuando él cae en Dos Ríos, parece súbitamente comprender...

Es entonces cuando hace a su memoria la ofrenda del hijo: el hijo que era todo lo que ya le quedaba en este mundo.

Sin ocultar su horror a la contienda, que sigue siendo el mismo, ni el espanto de ver, como dice, al hijo donde tan pronto cayó el padre, en carta a Máximo Gómez le envía al muchacho para que ocupe el puesto del caído, con estas palabras en verdad conmovedoras: «A Ud. que debe conocer a los hombres, no le será difícil penetrar un niño. Para Ud. soy una desconocida, no tengo méritos en que apoyar mi recomendación, sólo mi interés de madre que Ud. comprenderá fácilmente pues su esposa le tendrá acostumbrado a saber como queremos a nuestros hijos las madres cubanas. Acuérdese de José Martí y ame al hijo por él. Yo me quedo sola en la vida, esperando...». Son las últimas palabras que le oiremos sobre su drama íntimo: habría de vivir todavía veintiocho años más, pero, altiva como era, nunca se defendió de las imputaciones que se le hicieron; aceptó el silencio a que se le condenaba y en silencio murió oscuramente en su Camagüey natal.

Al cabo de tantos años que lleva muerta, José de la Luz León ha intentado ponerla en pie, reunir el eco de su voz para que puedan oírla aquellos que poco o nada saben de ella. Pero tengo para mí que será en vano su romántica empresa.

Nadie se detendrá a escuchar más alegatos en un juicio ya fallado; nadie le agradecerá que, a semejanza de los antiguos caballeros, salga a la liza a quebrar lanzas por una mujer tan voluntariamente silenciada.

Nadie, dije; pero quizás hubo alguien que sí le hubiera agradecido el gesto: el propio José Martí.

(1982)

114

MUJER ENTRE DOS ISLAS

A LLÁ EN MI TIERRA HEMOS PERDIDO desde hace mucho tiempo la encantadora tradición de los Juegos Florales, cuando
tan bueno es recurrir a los poetas para que nos muestren las bellezas del mundo en que vivimos.

Las bellezas del mundo y las de nosotros mismos, porque el
Señor no fue menos generoso con el hombre que con el resto de
sus criaturas, ni lo hizo a su imagen y semejanza sin darle al mismo tiempo la dignidad, la viabilidad de comprenderlo.

Saborear, sin embargo, estas bellezas, parece que no es cosa fácil para todos. Estamos demasiado absortos en los cotidianos cuidados y fatigas para tender la vista un poco más allá –o más acá–
de la mesa de trabajo, de la chimenea de la fábrica, del apostadero
de las pequeñas ambiciones.

No es culpa nuestra, pero sí puede serlo el no acudir de vez en
cuando a los que nos administran otra clase de bienes que, siendo
también nuestros y acaso más legítimos que aquéllos, puede que
precisamente por esto, descuidamos un poco, dejamos un poco en
lejanía y en olvido.

Constituyen estos bienes espirituales, para nosotros, algo así
como esas vagas herencias que tenemos en un país remoto a donde
no pensamos seriamente ir nunca a reclamar, aunque por bajo de

nuestras corduras e impedimentos esté latente la intuición de su existencia y hasta la del derecho y el señorío que sobre ellas tenemos.

De allá nos vienen datos sueltos, noticias, breves muy de tiempo en tiempo; pero de hecho no sabemos a qué atenernos y, lo que es más grave, nos conformamos a no saberlo.

Son los místicos, los poetas y los artistas quienes se adelantan a revelarnos el caudal insospechado. Ellos pueden hacerlo; ellos conservan siempre una atalaya para ver lo que nadie ve todavía, un Rodrigo de Triana avizorante que despierta con su grito en la jubilosa aurora a las gentes cansadas y dormidas...

Bueno es, por tanto, que antes de entrar en tema yo felicite vivamente a esta culta ciudad de San Cristóbal de La Laguna por dedicar un día del año al recuento de su patrimonio espiritual y llame para eso a los poetas en cita gentilísima, donairosa, puntual.

La Ciudad está segura de que todos, aun aquellos cuyos esfuerzos no alcanzaron el prometido galardón, habrán hecho brillar ante sus ojos un lejano destello de oro virgen, un resplandor de estrella fugitiva no asentado en los libros del Registro Civil y que, de otra manera, hubiéramos perdido en la alta noche.

Al felicitar a la Ciudad tengo presente a quienes con el entusiasmo de su pecho y la dedicación de su intelecto hacen posible la constatación de esos valores, fijan en ellos la atención ciudadana y recaban para los mismos no sólo la dignidad y la elegancia, sino también el buen calor humano que toda empresa del espíritu necesita y merece.

Lleguen por tanto mis felicitaciones al Ateneo de La Laguna, tradición de cultura nobilísima, y aún puedo añadir que casi heroica, como, al cabo, no es extraño que lo sean todas las de su clase en los tiempos que corren; en ella saludo como fiel exponente de sus prestigios a su hoy muy querido Presidente D. Manuel González de Aledo, cuyo tacto, sabiduría y prudencia he tenido grata ocasión de conocer.

Él me ha elogiado como sólo una inteligencia generosa puede hacerlo; lléguele pues, con las felicitaciones por el éxito que toca a su institución y a su persona, mi gratitud por las palabras que me dedica esta noche. Aunque ellas no corresponden a mis escasos méritos, y obligada tal vez por eso mismo, yo me habré de esforzar en merecerlas, por esta vez al menos. Y ya sabemos que el buen estímulo hace la buena voluntad y la buena voluntad hace el resto.

Aunque poco, porque lo necesito para emprender la tarea que me fue encomendada, no quiero que falte el aliento de mi palabra a los demás que me acompañan en este acto:

María Rosa Alonso con su enamorada prosa sobre Antonio de Viana y el regalo de la extinta Laguna que yo miraré también con sus ojos retrospectivos.

Luis Diego Cuzcoy resucitándonos, con su lírica evocación, a la princesa legendaria.

Emeterio Gutiérrez Albelo, caballero esta noche –y siempre– de la dama canaria, y Luis Álvarez Cruz, que ha querido ceñir entre sus brazos la isla entera. Y como no se concibe fiesta sin música, la música tiene aquí digna presencia en el Orfeón de la Masa Coral Tinerfeña y en el teclado que animara hace pocos momentos el numen del señor Alvaro Fernaud.

Siendo ésta una fiesta de Arte, la Pintura también quiso asistir y Manuel Martín González nos trasplanta unos dragos milenarios con mano tan maestra como amiga.

Y como es también fiesta de gracia, no nos faltan las jóvenes reinas que habrán de anticipar en nuestra noche un presagio de tiernas alboradas.

Por último, están Uds., los dispuestos a ver y escuchar; lo más necesario de todo. Porque, como dije un día para mí memorable, en el Ateneo de Madrid, sin oído que escuche, la palabra no quiere nacer, no tiene porqué nacer.

Así pues, todo lo que hagamos esta noche será por Uds. y para Uds., y todo no bastará para agradecerles lo que es capaz de arrancar a un solo corazón el calor de tantos corazones juntos. Ése, si me lo gano, será mi premio, mi razón de estar hoy en este puesto.

En torno a cosas que me son tan entrañables, decía yo cuando empecé a hablarles, y lo decía con un cierto sabor de añoranza en los labios, que en mi tierra trajinada por muchas inquietudes hemos perdido un poco el trato de los poetas y desde luego el recuerdo de estas justas cordiales del ingenio y la gracia.

No es de extrañarse pues que, cuando mis admirados amigos María Rosa Alonso y Domingo Cabrera Cruz, en trance de revelarme los inapelables designios de los hados, me dijeron que yo habría de ser Mantenedora en la muy prestigiosa fiesta lagunera, esta servidora –no he sido nunca otra cosa ...– esta servidora, digo, les contestara con toda la ingenuidad que a sus años puede serle permitida:

–Bueno, pero... ¿Qué cosa tengo yo que mantener?

Si he de seguir adelante es necesario que me perdonen esta ignorancia, y aun que se preparen a perdonarme otras muchas que en el sencillo discurrir de estas palabras vayan apareciendo.

En realidad yo no estaba preparada para el caso, ni creo que lo estuvieran los demás... No voy a escudarme ahora en mi falta de salud para ganar indulgencias... Digo, supongo sólo, que nadie estaba preparado y si se solicitaba mi intervención era por el imperativo de las circunstancias, confiando algunos con plenitud y otros con no tanta plenitud en que yo me las arreglaría para hacer olvidar a Uds. la ausencia en este puesto de insignes varones.

Varones de enjundiosa palabra y acentos resonantes, varones robustos de mente y de cuerpo, conforme al buen adagio latino, y que requeridos oportunamente para llenar esta honrosa misión, por un motivo u otro habían tenido muy a pesar suyo que declinarla.

Quedaba pues yo sola en el aire —¡y qué en el aire!—. Mas sola no, con mi pregunta todavía sin contestar, mucho más difícil de contestar que lo que nuestra María Rosa y nuestro Domingo Cabrera pensaron en aquel momento.

En el aire me tuvieron por diez o doce días, no sé cuántos... Pero yo no soltaba por eso el arco de la interrogación donde me mecía un poco indolentemente como los trapecistas en su elemento... Más bien como mis etéreas, seductoras abuelas en hamaca tropical.

—¿Qué tengo yo que mantener? ¿Qué es lo que hay que mantener?

He acariciado esta palabra en todo el lento deshojar de días que mediaron entre aquél y el presente; he meditado en la significación de este vocablo, mantener, que me decía él solo muchas cosas, y que yo pronunciara hasta entonces sin darme cuenta de su cabal alcance, de su justa medida.

Mantener... He procurado llegar, con esta paciencia de amor que sólo tenemos los enamorados del idioma, a su íntimo sentido, a sus recónditas esencias. Y, para decirlo con un giro muy cubano, a sus mieles finales.

Porque las palabras, como las cañas de mi país, hay que exprimirlas en centrífuga propia, hay que tundirlas, hay que macerarlas para que nos den todo su jugo.

Y esto me lo entenderán bien los letrados y los que no sean letrados, pues quién de los presentes, si no estuvo en Cuba, no habrá tenido un hermano, un padre, un abuelo, un amigo que le contara, por haberla presenciado, la maravilla de la zafra cubana, el prodigio de convertir en el precioso azúcar un caldo espeso y negro desbrazando el bagazo, la fibra seca y separando la miel para endulzar el mundo.

Esto he ido yo haciendo, mientras me columpiaba en el aire con la palabra «mantener»...

Le he ido quitando todo lo que de superficial, circunstancial y accesorio pudiera haber en ella, todo lo que pudiera maniatarla a lo temporal, como dice la Iglesia, para poner el dedo en su médula, para que entregara al fin su pulpa...

Durante los últimos días he viajado con esta palabra prendida al pecho como una flor invisible...

Como un escapulario que se lleva bajo el ropaje externo para que nos preserve de caer en el vacío –que es la más triste de todas las caídas– y para que vaya destilando al mismo tiempo en el corazón un poco de su gracia.

Mantener, mantenedor... ¡Qué palabra tan bonita, y qué bien me ha acompañado!...

Con ella he subido haciendo gala de agilidades insospechadas a vuestros riscos y a vuestros montes... El de las Mercedes, que lleva el bello nombre de mi madre, aromático de pinos y de brezos... El de la Esperanza, que nos bautiza la isla bajo su signo, y el del Teide, que nos la empina sobre dos continentes...

Con ella he bajado por torrenteras y roquedales a vuestras playas de arena negra donde parece más azul el mar, y anduve y desanduve los caminos temblorosos, prendidos con flechas de obsidiana al lomo de la sierra.

Y los caminos me llevaron también al Sur, donde la isla envejece miles de años en minutos, se vuelve de pronto un paisaje de otro planeta, una siembra de cráteres lunares, un osario de mundos fenecidos.

En presencia de aquellos abruptos picachos, de aquella casi espumosa crestería de lavas superpuestas donde se enredan las brumas surcadoras de los cielos, no sabe el sobrecogido caminante, espectador del drama geológico, si asiste a los funerales de la Tierra o a los instantes de su creación con la costra caliente todavía, sin acabar de perfilar su forma, donde no puede sujetarse un árbol y sólo las primarias luneras y los ascéticos verdores inician un verde pálido entre el fragor de las desmembradas piedras.

Y luego las Cañadas, antesala del Teide, cuenca de nubes, vivero de estrellas que aquél habrá de devorar y vomitar un día...

Allí el dormido fuego se repliega y nacen de su sueño extrañas flores sin savia y sin color, sin nombre vivo; flores de nácar, flores de bruma...

Allí no irá la abeja a buscar miel en tales flores ni llegará el osado Prometeo para robar la llama de los dioses.

119

¡Cuánta muerte dormida en este sueño y cuánta vida despertando de su muerte!

¡Qué miríadas de gérmenes ocultos se ven casi bullir en su paisaje petrificado!

Cuántas cosas parecen próximas a brotar, qué misterio surge a punto de revelarse que el aire, las piedras, las rígidas retamas, todo se ha quedado inmóvil, como esperando...

También espera abajo el Puerto de la Cruz, con el único brazo de su muelle roto y todavía tendido sobre el mar.

Y espera toda la calcinada tierra de vuestras islas, regada más con el sudor del hombre que con el agua avara, y espera el hombre que la fertiliza con su sudor, la amasa con sus ilusiones y canto sobre canto la contiene sobre la orilla de un despeñadero, en el recodo de un barranco, en las laderas del volcán, poniéndose casi como las cariátides de piedra en los templos antiguos a sujetarla con sus propios hombros contra la lluvia, el vendaval, el viento.

Loor al campesino canario, el más fuerte, el más valeroso de la Tierra. Porque en todas partes el hombre que trabaja la tierra es su hijo, pero aquí es su hijo y es su padre.

Pero volvamos a la ciudad, que espera también lo suyo... Esperando bajo ese mismo signo tenemos el surtidor que desgrana sus perlas en la Plaza del Adelantado.

Él es un descendiente directo y ya muy reducidamente alquitarado, un biznieto conceño y finísima de aquella Laguna que después de más de cien años de desaparecida aún es presencia viva en la ciudad, aún sigue acunándola a su regazo como cuando era niña, aún sigue alentando en su aire, imponiendo su nombre hasta el punto de que borra el del Santo que la precede y se queda ella sola, La Laguna.

Espíritu del agua en vigilia, en esa sutil permanencia que es la nostalgia. Espíritu, espectro del agua que no acaba nunca de abandonar su tierra; que ronda por las noches la ciudad dormida y se posa levemente sobre las guijas y los tarajales que fueron suyos. Agua desposeída de su reino, mas reina todavía: agua de promisión para soñar... y como vuestros paisajes son tan irreales, tan únicos en el mundo que yo cuando me vaya no sabré si los vi o si los soñé, puesta hoy a evocarlos, nada me impide llegar también a esta ciudad con tres centurias de retraso, a tiempo aún de ver la gran Laguna que se desangra poco a poco.

Y la veo como ella era, verde, suntuosa, luciente, bordeada de tabaibas y pimenteros al pie de la ciudad pequeña todavía.

En torno a sus orillas se van apretando casas de piedra morena, como polluelos temerosos junto a la madre cálida. Otras se le separan ya, y algún marqués ufano labra en la suya escudo en el portón y filigranas mudéjares en el artesonado, a modo y moda de los alarifes de la Corte.

No falta la iglesia con su Cristo, desde el principio nido de los fervores laguneros, ni el convento con su siervo muerto en olor de santidad, que España da siempre al espíritu primero que a la carne...

En medio de este cuajar de piedras y de afanes, hace tiempo que la Laguna se siente un poco desdeñada; se va haciendo vieja quizás y ya su piel no tiene la tersura y la limpieza de los años mozos, cuando los desaparecidos mencayes surcaban sus ondas en gráciles esquifes horadados en troncos de barbuzano o reposaban en su paz bucólica, tendidos a la orilla del agua ensimismada.

En vano ahora intenta ella descifrar el mensaje de los actuales moradores de sus dominios, despertando los antiguos soles sumergidos en sus esferas líquidas y haciéndolos aflorar otra vez a la superficie, en atisbos de lo que sucede arriba; en vano se ofrece ella a los nuevos señores que pueblan el suelo de plantas y animales extraños, y hablan una lengua recia y dulce a la vez que va sorbiendo los toscos verbos, los sencillos sustantivos indígenas como es absorbida ella misma, como chupa ya la tierra sus propios desgajados hilos de agua.

Pero no duele a la Laguna este sacrificio que no entiende, este perderse en otros que al cabo es el destino de toda madre.

Porque no hay que olvidarse, amigos míos, que la Laguna es femenina y lo femenino es sustancialmente maternal, aunque no lo sea luego en el desenvolvimiento de su sustancia.

No duele a la Laguna que la tierra o los hombres la devoren, la utilicen o la malgasten; no le duele que la rechacen por miedo a las miasmas que tal vez ellos mismos aposentaran a sus orillas, ni que la sequen para asentar sus casas o que aprovechen sus ya pocos ramales limpios, filtrados por la piedra con lentitud de siglos, en regar sus cosechas... No le duele siquiera que la dejen perder, porque ella sabe que nada puede perderse y espera, espera siempre hasta de la inconsciencia de la tierra y hasta de la inconsciencia de los hombres.

¿No es ésta la señal de los tiempos? ¿El signo de las islas, y hasta el que trajo aquella joven y ya eterna España de Isabel la Católica, con la Cruz, el Idioma y el Pendón?

Este esperar apasionado, tan español y tan cristiano, pronto había de encender toda la isla, Isla hija, tierra madre también, mujer en soledad de todos modos, pues no hay tierra más sola que la que cercena el mar, ni mujer más sola que la madre en el instante de serlo físicamente, cercenada por Dios mismo, sintiendo que se separa de su sangre y de su vida la vida y la sangre del hijo...

¡Pero cuánta esperanza cabe en estas soledades! ¡Cuánto ha de nutrirse, confiarse, fundarse en ella!

Hemos oído a los finos poetas de esta noche cantar a la princesa Dácil, la hija del Mencey enamorada del gallardo invasor de los paternos lares: y cómo se nos ha identificado ella también con la Laguna de su tierra, por todo lo que de entrega hay en su amor, de renuncia a sí misma, de destino cumplido. Pero no en el morir está la muerte y la princesa que no se sabe si vivió, vivirá entre nosotros para siempre.

Dácil es muchas cosas y es también una isla, es la isla misma con conciencia de su oblación y su resurrección en un solo trazo, Fénix del ancho mar, madre en potencia.

Dácil es la laguna que no cuenta sus aguas, como no cuenta el cielo sus estrellas.

¡Grandeza de cielo, pequeñez de laguna...! ¡Para servir, qué importa la estatura!

De ella, la desposada del Conquistador, no esperaremos ciertamente en vano.

Como se funden dos metales preciosos para lograr una aleación más sólida, un material de perfecta consistencia, la virgen guanche y el caballero español se unen en bodas felices.

Y de lo que de tales bodas ha de venir al mundo, pueden hablar muy alto los cubanos...

Y es una gran aventura y un gran honor para mí, que sea yo, como cubana más que como mujer de letras, quien venga a proclamarlo ante vosotros, a decir que Cuba tiene mucho que agradecer a las nupcias de esa mujer isleña y de ese hombre español, porque para Cuba la Princesa Dácil se llama Leonor Pérez, y el hidalgo de Castilla, Mariano Martí.

Hijo de ambos habrá de ser nuestro héroe nacional, nuestro José Martí, el hombre que tenía alas de águila y pecho de paloma.

Hijo de ambos, confluencia fiel de las máximas virtudes de cada estirpe y libre ya de sus mínimas flaquezas, habrá de ser el Apóstol de Cuba: uno de los espíritus más puros que han florecido sobre la Tierra, uno de los más hermosos ejemplares que dan todavía razón y destino a la humanidad.

Él no es sólo el adalid de nuestra Epopeya: si hubiera sido sólo eso, con ser mucho, para nosotros solos podíamos guardarlo, y muy contentos. Pero Martí, que fue nuestro, hoy pertenece ya al acervo común de todos los hombres honrados de la tierra, y entre ellos están particularmente los de esta isla donde nació su madre, y también los de aquella gran España que él no negó nunca, que amó cuando el amor podía dolerle, y donde pudo conocer, por uno de esos misterios del destino, algunos días de felicidad, quizás los únicos que contó como suyos. No serían muchos, pero sí bastantes para hacerle decir:

Allí rompió su corola
la poca flor de mi vida

José Martí es el alma de una doctrina de amor y de fe que se hizo para un país, pero que sirve para el mundo entero.

En el hijo de la tinerfeña Leonor Pérez y del español Mariano Martí, ha saludado América a un Maestro de Pueblos.

Hoy que se trata de ofrecer, entre los actos de la presente fiesta, un homenaje a la mujer canaria, yo tengo que rendirle el más delicado y emotivo que se me presenta, recordando en la ocasión el nexo que nos une para siempre a ella. Tengo que recordar que del tibio vientre de una mujer de esta isla, nos vino el hombre-luz, orgullo y prez de la isla nuestra.

Miren ahora cómo no hemos de amarla y reverenciarla, cómo no ha de inclinarse esta noche una cubana para honrar a la madre del Apóstol en todas las mujeres de esta tierra y decirles a todas, como si todas nos lo hubieran dado:

—Gracias, hermanas mías de Tenerife; que Dios bendiga vuestros hijos en memoria del hijo.

Más alto homenaje no puedo rendir ni más alto don agradecer.

Y porque sé como creyente y como cristiana que nada es obra de la casualidad, he tenido siempre delante de los ojos esta ascendencia del gran cubano.

Cierto que en él se dan personalísimas cualidades extraordinarias, y otras que, siéndolo también, caracterizan a los hombres de su generación; sin embargo, en tenerlas y ejercerlas hay en su modo un estilo, un sabor de solera que trasciende.

Flexible y al mismo tiempo inquebrantable, se descubría, en aquel carácter mesurado, temple de ilustre acero toledano; fundador, constructor aunque tuviera que poner los propios huesos de cimiento, a todo proveía con aquel ímpetu isabelino que no mide el salto y cae siempre de pie.

Y de la austera matrona tinerfeña que lo lleva nueve meses en su seno, es él mismo, no yo, quien reconoce su filiación anímica.

En una de sus maravillosas cartas, dirigida a la madre, carta que lamento infinitamente no tener a la mano para leerla, José Martí nos deja ver que fue ella quien lo hizo —sin proponérselo acaso— tierno de corazón y generoso de ánimo, apto para el mismo sacrificio que entonces le reprocha traspasada de natural angustia. ¿Y por qué me hizo Ud. así, madre?... le recuerda en carta que pertenece ya a la Historia.

¿Por qué lo hizo así? No pudo ella contestarle y tuvo que dejar partir al hijo rumbo a su glorioso y doloroso destino.

No pudo contestar Leonor Pérez y nadie puede contestar tampoco. Pero no es vana fantasía imaginar que el fruto de esa sangre bebió en ella, cuajada ya del hálito fecundo, la sobriedad y la perseverancia, el estoicismo en esperar, la entereza de la oblación, el secreto, el milagro de hacer brotar de la ceniza las más hermosas flores de la tierra.

Lo que deseaba, como dicen los Santos Libros, le fue dado por añadidura.

Y aquí, amigos míos, hemos llegado a la miel final... Al misterioso sentido de aquella palabra del principio, la que me acompañó por estos días y se balanceó conmigo por el aire y escaló los balcones de mi sueño...

Tal vez creyera alguno que yo la había perdido en este trasegar de sueños caldeados... No sabe, quién tal pensó, que todos esos sueños, perdurables o efímeros, están sacados de ella misma; que todo lo que he dicho esta noche lo encontré en esa palabra sola, del mismo modo que pueden bloques y sillares tallados en muy distintas formas, proceder de una única cantera.

—¿Qué es lo que hay que mantener? —Pues lo que hay que mantener es eso mismo, la flor en la ceniza... El Espíritu, el Milagro...

Y también el instrumento del Milagro y el asiento del Espíritu, esto es, la esperanza en cada corazón y el pan nuestro en cada casa.

Lo que hay que mantener es el decoro humano, la capacidad de ser útil hasta la propia inmolación, la aptitud de ser agua que se riega, que se gasta, que se aprovecha.

Porque mantener no es tener sólo, sino tener dando... Mantener no es vivir, sino ayudar a vivir, hacer vivir. Mantener no es nutrir la propia vida, sino también la ajena; no es cuidar el propio huerto, sino cuidarlo de tal modo que los frutos se derramen por arriba de las tapias, y las flores se desborden hasta el camino, y haya aroma y dulzura para todos... Al menos, para todos los que pasen cerca de nuestro huerto.

¿Que cómo se mantiene esto? ¡Pues como mantiene su tierra el campesino canario, con el hombro desnudo si es preciso!...

Cuando los gobernantes en sus palacios y los gobernadores en sus casas, pobres o ricas, se sientan en verdad mantenedores como hay que entender esta palabra, habremos dado a nuestros hijos o a nuestros nietos un mundo digno de vivir en él.

> Mantenedores hemos de ser todos si queremos salvarnos a la hora de todos los naufragios. Mantenedores de la heredad de Dios, de la obra de Dios, aunque con nuestra sangre mantengamos.

(La Laguna, Tenerife, 1951)

ESTEBAN RODRÍGUEZ HERRERA Y SU PASIÓN POR LAS PALABRAS

UNIÓN DE REYES, NOMBRE simbólico en verdad, no porque conmemore el encuentro más o menos feliz de testas coronadas, sino porque puede celebrar con más derecho el nacimiento en su suelo de tres reyes de las Letras, que será siempre reino más vasto e imperecedero que los creados por el azar o la política o el capricho de los hombres.

Y para que la coincidencia lo sea más, estos tres advenimientos –que sí son verdaderamente felices por lo que han significado para nosotros– se dan en tan mínimo espacio casi al mismo tiempo: Agustín Acosta, Esteban Rodríguez Herrera y Regino Pedroso, citados así por su orden de nacimiento, vienen al mundo un poco antes de que finalice el pasado siglo.

No mucho antes, no después. No más allá, no más acá. Es una verdadera conjunción de destinos, de vocaciones, de cerebros. Y los tres alcanzarán larga vida.

En esta trilogía, atendiendo como ya dije a un orden cronológico, los poetas están en los extremos y por serlo serán seguramente los que obtendrán más resonancia en su ámbito. La poesía se arregla siempre para allegar caminos al corazón humano. Sería preciso ser muy mal poeta –que es peor que no serlo en absoluto– para que su voz no fuera recogida, no hallara eco en nuestros semejantes.

No así la del modesto sabio, la del paciente investigador que en la soledad de su gabinete estudia, lee, escribe, razona. Dicta leyes porque también es rey aunque no le relumbre la corona. Y poeta aunque no haga versos.

No lo hace, pero es él quien trabaja con ahínco la materia prima de que han de servirse aquéllos, y no sólo aquéllos, sino todos los que responsablemente utilicen como herramienta de trabajo la palabra. Es él quien la suministra ya limpia, ya cernida, ya libre de impureza.

Es también curiosa coincidencia que los tres hayan procedido de humilde cuna: obreros los tres en sus comienzos, luchando los tres contra muchos obstáculos, abriéndose paso entre la maleza sólo con el propio esfuerzo.

A propósito de este fenómeno social que se repite con cierta frecuencia en la historia de los hombres notables, permítaseme hacer una observación personal a modo de ejemplo.

Visitaba yo el valle de la Orotava de Canarias, valle famoso por la belleza de su perspectiva, que debió serlo más en la pasada centuria, cuando el barón de Humboldt, al contemplarlo, se hincó de rodillas para dar gracias a Dios por haber creado tanta hermosura.

Esta escena de la cual los hijos del país están con razón tan ufanos, se encuentra allí reproducida en litografías por los hoteles, las oficinas públicas y hasta las casas particulares.

Y mientras yo también contemplaba el magnífico escenario, iba pensando que era cosa singular que nadie hubiera escrito un libro en tal sitio, ni realizado una obra de arte, ni compuesto una sinfonía semejante a la que viento de altura y pájaros canarios orquestaban en la vecina selva.

No dejaron de detenerse allí y hasta de vivir un tiempo a su vera, gentes de pluma, músicos, artistas; pero no sé de nadie que haya hecho algo en tan paradisíaco ambiente, excepto procurarse aire puro para sus pulmones, o más sencillamente paladear las mieles de la vida.

De donde se deduce sin forzar mucho la imaginación –o al menos lo deduzco yo– que artistas, compositores y escritores no necesitan para serlo cabalmente de muchos regodeos, de muchos mimos delicados.

La sonata más perfecta se compuso en un tugurio maloliente a tabaco, y el más hermoso poema, en una mesa ayuna de condumios.

Contrariamente a lo que se cree y añora, no son los gratos ocios fuentes de inspiración: el mejor trabajo lo hicieron siempre las gentes más trabajadas.

Los dos poetas de mi trilogía se forjan al fuego vivo, al hierro ardiente: ruedas, raíles, fraguas y martillos en trepidar constante, son sus primeros compañeros de viaje, de este arduo viaje, este viaje extraño y maravilloso que es la vida.

Esteban Rodríguez Herrera, el que va en medio de ellos, es más simplemente un albañil. Un albañil hijo de albañil, que es como serlo dos veces. Bueno, ahora llaman a los albañiles constructores, no sé por qué, porque constructor es cualquiera que construye algo; y existiendo en nuestro rico idioma la palabra específica, no veo la razón de no usarla. Si es, como se me ha dicho, porque se la considera algo desdeñosa, tampoco veo la razón. El de albañil es un antiguo y noble oficio, que por algo lo puso la masonería entre sus símbolos.

Nunca turbó la memoria de este primer quehacer a don Esteban Rodríguez Herrera. Creo que por el contrario le guardaba gratitud, ya que fue su ejercicio el que le proporcionó los medios de avanzar en el mundo, primero ayudando a su padre en la diaria faena desde los doce años, luego desempeñándola él solo mientras obtenía así el merecido descanso de su progenitor.

Ya de niño compartía Esteban el trabajo con el estudio, dualidad de tareas que requiere hacer juegos malabares con el tiempo.

Se formó en la escuela pública, esa escuela de donde salieron a su hora buen número de hombres notables, útiles a la nación.

Fue su primer maestro el educador matancero Tomás F. López, de quien guardó siempre un buen recuerdo.

Superada esta inicial etapa, sigue la Segunda Enseñanza en su provincia de origen y, ya graduado de bachiller, se traslada a La Habana para ingresar en la Universidad. Ha realizado así su gran sueño.

Elige la carrera de abogado, quizás seducido por la perfecta redacción de aquellos códigos en que estudiábamos todos, donde no había palabra vana, donde todo era conciso, exacto, casi con exactitud matemática, lo cual no excluía en modo alguno un estilo elegante.

La estancia en la capital exige nuevos gastos que por más de una razón no puede cubrir con el antiguo oficio, por lo cual se hace agrimensor, y agrimensor seguiría siendo hasta obtener el título de doctor en Leyes con las más brillantes calificaciones. El tribunal examinador lo felicita, el Colegio de Abogados le otorga un importante premio por su trabajo «Necesidad del Régimen Parlamentario en Cuba».

Vuelve a Matanzas para acompañar a sus padres siquiera sea por breve temporada, pero es Camagüey la que le ofrece las mejores oportunidades en el ejercicio de su profesión.

El campo del Derecho puede decirse que lo recorrió en casi toda su extensión, pues hasta Fiscal llegó a ser, y lo que es más difícil, un fiscal humano y tal vez por ello acatado aun por los mismos que tenían intereses opuestos a su recto sentido del deber y la justicia.

No sabemos si en la hora oportuna tuvo que aplicar el famoso y clásico consejo que pide a los que alguna vez se enfrenten a una balanza con los platillos por igual equilibrados, que procuren echar en uno de ellos un nuevo y leve peso, el de la misericordia.

Ya consolidada su posición en el mundo, contrae matrimonio, un matrimonio por amor, que en su época no era nada raro, pero que tal como van los tiempos, pronto nos va a parecer cosa de ciencia-ficción. Micaela Yanes Resino fue la elegida y lo fue para siempre.

Pongo aquí su nombre, no sólo por la singularidad del caso, sino también porque es uso discriminatorio, cuando se hace la biografía de un varón, omitir el nombre de la mujer que compartió su vida, sus alegrías y sus sinsabores, y a cambio, cuando se trata de un personaje femenino, se le nombra de inmediato al esposo, o los esposos legales o extralegales si los tuvo, aun cuando nada añadieran o quitaran a la carrera de la biografiada.

Es como si el matrimonio no tuviera la menor importancia en la vida de un hombre y por el contrario fuera lo principal, lo decisivo en la vida de una mujer, aun tratándose de una que haya alcanzado fama por otros rumbos que nada tengan que ver con el himeneo.

Digamos ahora que, por encima de tantas actividades en que hizo valer su capacidad de trabajo y asimilación de conocimientos, Esteban Rodríguez Herrera seguía pensando en las palabras que ya habían fijado su atención desde sus inicios en el saber humano.

Le atraían las palabras por sí mismas; pudiéramos decir, a modo de metáfora explicativa, que le atraían en su estado virgen, ajeno todavía a toda aplicación, es decir, al uso que quisieran darles los que de ellas se servían. No había dejado de ver en los vocablos los sólidos bloques, los compactos ladrillos, los mosaicos de colores que tantas veces manejó, ya limpios, ya dispuestos a llevar a su hora a las edificaciones propuestas por otros hombres.

No habría de ser ésa su labor. Hombre modesto, casi siempre en su sabiduría, no pretendía hacer un tratado filosófico, ni un ensayo de retórica ni una novela ni una obra de teatro. Ni siquiera un libro de versos, que es la clase de literatura más asequible, según piensan muchos, y debe ser así, a juzgar por lo que prolifera.

Don Esteban hizo versos porque, ¿quién que ande con palabras no los ha hecho? Pero los hizo sin pretensión alguna, sin ánimo de publicarlos, tan sólo para decirlos o leerlos en el seno del hogar. De ellos podría decirse que eran como dulces caseros, que pueden ser sabrosos al paladar aun desprovistos de alquimias y floreos.

Pero él no impondría servidumbre alguna a esas, sus amadas palabras: su verdadera vocación era ayudar a otros a que hicieran bien lo que habrían de hacer con ellas.

Aspiraba a trasladar al prójimo sus conocimientos, insuflarles su sapiencia que no quería para él sólo.

Por encima de todas las disciplinas a que dedicó sus energías, seguía siendo un maestro, un sencillo maestro, que es por cierto el más hermoso pero también el más ingrato de los oficios.

Así creó y recreó varias obras destinadas a ese fin: la que estudia el género de los nombres —así se llama— constituye una concienzuda y original exploración en tal materia donde analiza, diferencia y establece la compleja naturaleza de los vocablos encargados de designar las cosas, que es casi como sacarlas de la nada en que todavía flotan; y lo hace primeramente en su aspecto más difícil, el que sin obedecer a normas pre-establecidas escapa, por decirlo así, de las plumas encargadas de fijarlos en el papel; yo diría que son vocablos anárquicos que si bien se hace casi imposible someterlos a cualquier clase de orden o regla, por los menos logra don Esteban distinguirlos y señalarlos. Es ésta una labor que ha requerido dos voluminosos tomos para realizarse. Y aun a estos tomos añade el autor copiosos antecedentes enunciados con el mínimo rótulo de *Observaciones*.

Esta obra le valió a Rodríguez Herrera la calurosa felicitación de Julio Casares, el famoso polígrafo de la Real Academia Española, así como ser distinguido con el nombramiento de Miembro de Honor de las Academias dominicana y chilena. Y cuando se realiza en 1956 el Segundo Congreso de la Academia Española de la Lengua, es invitado a trasladarse a Madrid para tomar parte en el mismo. No olvido la distinción de que le hace objeto el Uruguay al nombrarlo miembro de su prestigiosa Sociedad de Hombres de Letras en aquel país.

En Europa, no sólo España le honra con su distinción; también la Academia de Ciencias de Bolonia, antigua en siglos, lo cuenta entre los suyos.

Otra gran obra de nuestro biografiado es la *Enciclopedia Jurídica Administrativa Cubana*. Creo que en Cuba es obra única en su género, y aun fuera de Cuba acaso sólo dos o tres se han intentado. Ésta, que bien puede llamarse obra magna, consta nada menos que de 24 tomos, de los cuales el autor sólo pudo editar el primero. En ello invirtió cuatro mil pesos que eran todos sus ahorros y le fue imposible recabar apoyo oficial alguno para seguir editando los 23 restantes. Que en esto de esperar publicación de libros útiles tenemos ya solera.

Su sobrino político, el Dr. Juan Varela, a quien debo gran acopio de datos para este trabajo, nos cuenta haber visto una fotografía de don Esteban –que era de baja estatura– al lado de los 24 volúmenes manuscritos, que puestos uno encima del otro sobrepasaban su cabeza.

Hizo también un libro de sinónimos jurídicos, obra útil sobre todo para el estudiantado que, al empezar esta carrera, tropieza con muchas palabras técnicas que pueden tener un mismo o similar significado, el cual conviene distinguir.

Otra obra importante a él debida es el *Pichardo Novísimo,* editado por nuestra Academia cuando contaba con fondos propios para hacerlo. Fue loable empeño el de él y el nuestro, pues ya este Diccionario, el primero en recoger voces cubanas, llevaba más de un siglo de su publicación y constituía una verdadera rareza bibliográfica.

Aquí don Esteban no pretende enmendar la plana a su homónimo, sino aclarar ciertos conceptos que con el decursar del tiempo han desaparecido del habla popular o alterado su significación, incluso hasta llegar a hacerse de alguna enteramente opuesta a la que tuvo en otro tiempo.

Por extraño que nos parezca, puedo agregar que no es necesario que transcurran siglos para que tales mutaciones se produzcan. Mis compañeros Académicos recordarán la consulta que nos hizo recientemente la Real de España acerca del término *mambí.* Al cual añadí yo el de *guerrillero,* que ha pasado por el mismo proceso a la inversa.

Algo que preocupaba mucho al Dr. Rodríguez Herrero era el lenguaje usado en la prensa diaria y en las transmisiones radiales. Decía él que siendo éstas, al igual que los periódicos, lo primero que en materia de información llega al pueblo y llega masivamente, periodistas y locutores deberían ser más cuidadosos en el uso del idioma de que se sirven, ya que en cierto modo vienen siendo ellos como los heraldos de la lengua vernácula y es obvio que, si la transmiten viciosamente, viciosamente la transmitirán los que la reciben.

Es triste que después de afanarnos tanto por conservar el tesoro del idioma, tesoro que no es sólo nuestro, sino de todos y hasta de los que no han nacido todavía como su legítima herencia, simplemente por ligereza, por despreocupación, más que por ignorancia, hagamos inútil el esfuerzo de los que consagraron su existencia a defenderlo.

No pedimos nada imposible: no se necesita ser un sabio como don Esteban para redactar una noticia sencillamente, como nos enseñaron en la escuela, lo que se supone que hayan olvidado aquéllos que la divulgan por esos medios, que son, en términos generales, gente bien preparada para su misión. Es oportuno recordar ahora que Cuba ha tenido siempre una bien ganada tradición de buenos periodistas.

No hay necesidad de nuevos estudios como sugieren algunos, ni de sutilezas verbales o vocablos cervantinos; lo único que se les pide es un lenguaje llano, donde no se retuerza la sintaxis y que esté libre de voces inventadas o traducciones mal hechas.

Y al fin hemos llegado a la obra cimera de don Esteban Rodríguez Herrera: su *Léxico Mayor;* son otros dos voluminosos tomos, consagrados a lo que era en él una pasión, las raíces, las formas y las derivaciones de nuestra lengua.

No es un diccionario de los muchos que se hacen calcados en otros que les han antecedido, y no lo es porque sólo recoge ciertas y determinadas voces que vienen a ser objeto de su estudio. Tampoco es propiamente un diccionario de cubanismos porque no se concreta a voces cubanas, sino que también recoge otras que, sin serlo, usamos a diario sin darles carta de ciudadanía.

Afortunadamente, este *Léxico Mayor* sí está editado, aunque el autor pensaba proseguirlo y gran parte de los ejemplares existentes se perdieron en lamentables circunstancias.

No obstante, aún quedan algunos para fortuna nuestra y de los que vengan detrás.

Tenemos una obra más del investigador infatigable cuyo centenario celebramos, pero por desgracia no la poseo ni la he tenido a la vista, aunque desde luego, sé de qué se trata. Hablo de la edición crítica de *Cecilia Valdés,* donde nos hace la historia de esta famosa novela desde sus orígenes, enriqueciéndola con acotaciones al margen y poniéndola, digamos, al trasluz de su propio intelecto. Naturalmente, no inventa nada don Esteban, ni añade, ni quita, ni cambia nada. Sencillamente la analiza como lo haría con criterio sereno el conocedor que se enfrenta a una obra ya consagrada.

Por cierto que, hablando de ello, no puedo dejar de referirme al mal hábito que algunos incapaces de crear pretenden poner de moda entre nosotros: esto es, apropiarse de un título famoso para atraer público a una obra que probablemente sin él no lo conseguiría, aunque luego el lector o espectador se encuentre con un asunto que nada tiene que ver con el que le interesaba.

Y hay algo peor aún, que es tomar no sólo el título, sino también el texto, el argumento, para *desguazarlo* a su antojo, so pretexto de que nos están dando su propia versión, versión que nadie les ha pedido y que es además innecesaria, ya que hay cosas que, por ser perfectas, nadie debe tocar.

Y esto también sucede con la música, donde el abuso es aún mayor. Nadie tiene derecho a darnos una «versión» propia de una sonata de Beethoven: pruebe a hacer otra distinta y entonces ya veremos.

Como hombre culto y liberal al modo que lo eran en el pasado siglo los hombres de ideas avanzadas, Esteban Rodríguez Herrera ingresó en la Masonería desde sus más tempranas manifestaciones públicas. Fue así que se inició en la logia *Obreros de Morón* el 9 de abril de 1915, siendo exaltado al grado de Maestro Masón el 20 de septiembre del mismo año.

Ya residiendo en la Habana, continuó sus actividades en esta rama del quehacer humano a través de la logia *Benjamín Franklin,* donde permaneció hasta su deceso. Perteneció también a la Masonería Filosófica, que el 16 de octubre de 1962 le otorgó uno de sus más altos grados.

Como se ve por su larga trayectoria comparando ambas fechas, no fue un masón de los que llaman «dormidos», o sea, aquéllos que, una vez iniciados, no continúan laborando en las disciplinas por ellos aceptadas. Por el contrario, nunca desmayó en su cometido, pese a los años que ya iban cayendo sobre sus espaldas. Fue Cofundador del Asilo Masónico de Ancianos que lleva el nombre de Llansó y donde han hallado decente refugio los viejos náufragos de la vida.

Su atención moral y material no les faltó nunca, y gustaba de visitar a los que allí esperaban el fin de la existencia, para halagarlos con pequeñas atenciones y obsequios.

Él, que se había dado carrera a sí mismo, la dio también a los hermanos y a los hijos que quisieron estudiar; a la hermana menor, Luz María, una vez graduada en cirugía dental, le montó un gabinete en la Habana con todos los adelantos de la época. Fue la primera mujer en obtener ese título universitario. Lástima que nuestro máximo centro docente no se ocupara de guardar su instrumental en el pequeño museo donde ha recogido otros de similar naturaleza y origen.

Había sido Director del Instituto de Segunda Enseñanza de Morón, donde aún en vida se le dio su nombre a una calle, hecho singular tratándose de un hombre que siempre se negó a tomar parte de la política.

Y ya en la Habana, lo fue del de Marianao, al cual consagró los últimos fecundos años de su vida.

Con viva y verdaderamente poética imagen, se refería él a las continuas promociones de alumnos que iban pasando por sus aulas, comparándolas a las transitorias aguas de un río, siempre sucediéndose unas a otras en constante curso.

Era amado y respetado por sus discípulos, dos cualidades que así, unidas, siempre fueron difíciles de hallar.

Él también respetaba a sus estudiantes como tales, y dentro de la fugacidad del paso de aquéllos por las aulas, no era ajeno al afecto que le mostraban, sin que ello le impidiese ser severo cuando había que serlo.

Y como parece que la severidad se hacía presente con alguna frecuencia —rezago acaso de sus tiempos de fiscal...— contaba él que un día, al llegar a su cátedra, halló escritos en la pizarra los siguientes versos:

> Cuentan que Emilito un día
> tan bravo y caliente estaba,
> que de cien que examinaba,
> a noventa suspendía.
>
> ¿Habrá otro se decía,
> que suspenda más que yo?
> y cuando el rostro volvió
> halló la respuesta viendo
> que Herrera iba suspendiendo
> a los diez que él aprobó.

Con el paso del tiempo, la biblioteca de don Esteban crecía incesantemente, por lo que tuvo que cambiar más de una vez de domicilio a fin de darle cabida junto a él. Había hasta fabricado una gran nave en la azotea de su última residencia, destinada a aposentar los libros que en su concepto eran algo así como huéspedes de honor a los que había que atender debidamente.

Mas también llegó un día en que aquella nave resultó pequeña por la cantidad de huéspedes honorables que recibía con fruición el dueño de la casa.

Y como ya la familia se encontraba allí bien instalada y tal vez ofrecía alguna resistencia a nuevas mudanzas, optó don Esteban, nada propenso a las polémicas, por arrendar otra casa en el Vedado, dedicada exclusivamente a sus libros. Así lo hizo con gran parte de ellos que ya no hallaban acomodo en su propio hogar.

Corría el año 1959 y cuenta su sobrino, el Dr. Varela, que acaeció algo insólito e inexplicable: la casa de sus libros, la del Vedado, fue allanada por gentes ignorantes, desprovistas de escrúpulos, que cargaron con todos aquellos preciosos ejemplares, y según investigaciones practicadas luego, los llevaron a hacer pulpa de papel en la fábrica de Puentes Grandes.

Tan absurda pérdida amargó los últimos años de don Esteban. Hombre de paz, no se explicaba el hecho y, filósofo al fin, solía decir que de entenderlo le dolería menos. Duele menos el daño comprendido.

De modo que cuando sintió próximo su fin, pidió a su sobrina María del Carmen, a quien quería y estimaba por su carácter animoso, que tomara a su cargo la misión de dar digno destino al considerable número de volúmenes que aún quedaban en la nave fabricada en su casa; quería que ellos fueran cuidados como él los cuidó para que siguieran siendo útiles a las generaciones venideras.

Así lo hizo María del Carmen Vidal Rodríguez, que hoy nos proporciona el gusto de su presencia en esta sala.

Así lo hizo ella, y esto es en verdad lo esencial, lo importante: ya lo demás sería lo accesorio.

Por accesorio lo tendría su sabio tío, nunca desalentado por los olvidos ni deslumbrado por los honores.

En este acto cumple la Academia Cubana de la lengua el deber de conmemorar el Centenario de quien fuera esclarecido miembro suyo, el Dr. Esteban Rodríguez Herrera.

Los que fuimos sus compañeros lo seguiremos recordando más allá de este día y aun en medio de nuestras dificultades, que no son pocas.

De él puede decirse que lo dio todo sin esperar nada, y aun lo que recibió, lo tuvo siempre por añadidura, y hasta quizás un día los que lean su nombre puesto a una calle provinciana, se pregunten:

«¿Quién era este señor?...»

y sigan de largo.

(1981)

MI POESÍA: AUTOCRÍTICA

VAMOS A VER SI ES POSIBLE ofrecer siquiera un ensayo didácti-co de Poesía. Yo de Poesía he hablado bastante, pero pocas veces con ánimo de enseñar, de sentar normas y principios.

Igualmente puedo decirles que si bien es cierto que he hablado bastante de Poesía, no recuerdo haber hablado nunca en particular de la poesía mía.

Nunca, que yo recuerde al menos; ni en prefacios de libros, ni en artículos de periódicos, ni en entrevistas de prensa donde tanto procuran los que las hacen escarbar en la intimidad de la obra destinada a atraerse la curiosidad del público. Ni siquiera en cartas o en conversaciones de amigos, he hecho de mis propios versos algo más que no sea un comentario ligero y como de pasada.

Así pues, hoy es la vez primera que, hablando de la Poesía en general, tendré que hablar también de mi poesía: la responsabilidad de tal indiscreción debe recaer sobre el Dr. Raimundo Lazo, profesor a conciencia de nuestra Universidad, que me lo ha pedido y a quien difícilmente puedo negar todo lo que se debe a una firme y probada amistad. Cabe añadir que lo hago también con mucho gusto para ustedes, si es que con ello creen que pueden aprender algo nuevo, o pasar al menos una tarde entretenida.

Dichas estas palabras justificadoras de mi presencia, entremos cautelosamente en esa tierra ignota de los mapas antiguos, en las regiones de la Poesía, a donde tantos han ido y no han vuelto, algo así como el país donde irás y no volverás del cuento infantil y que hoy adquiere otro sentido trágico.

Si para empezar estas muy limitadas exploraciones yo me viera obligada a decir que la Poesía es algo, yo diría que la Poesía es tránsito.

No es por sí misma un fin o una meta, sino sólo el tránsito a la verdadera meta desconocida.

Por la Poesía damos el salto de la realidad visible a la invisible, el viaje alado y breve, capaz de salvar en su misma brevedad la distancia existente entre el mundo que nos rodea y el mundo que está más allá de nuestros cinco sentidos.

Qué mundo es ése, qué nombre tiene, qué ubicación la suya, son cosas que no competen a la natural sencillez de esta exposición, pero estoy segura de que todos me habrán comprendido, porque todos alguna vez en la vida, de alguna manera, por unos instantes siquiera, habrán alcanzado a columbrar un mínimo reflejo de ese mundo, o al menos habrán deseado alcanzarlo y eso basta, porque la añoranza es ya una prueba de existencia. Lo que no existe no puede producir nostalgia. Lo que no se tiene y sabemos sin embargo que existe inasible en algún punto que los portugueses designan con una palabra bella y exacta, es lo que nos llena el alma de ese agridulce sentimiento. Y la Poesía que puede aunque sea fugazmente establecer ese contacto, tiene en verdad rango de milagro.

No es ella el único medio, pero sí de los más eficaces. Hablo naturalmente de la Poesía lograda; los intentos de Poesía, por muy respetables que sean —y lo son todos para mí— no cuentan para nada en lo que estoy diciendo.

Y tenemos ya que de esta apreciación personalísima se desprende un primer principio: esto es, que la Poesía es traslación, es movimiento.

Si la Poesía no nace con esta aptitud dinámica, es inútil leerla o escribirla: no puede conducir a ningún lado. Igualmente es necesario que esta facultad de expansión esté enderezada al punto exacto, porque de lo contrario sólo se lograría caminar sin rumbo y no llegar jamás.

Por suponer lo que he llamado el punto exacto a mayor altura que el hombre capaz de ambicionarlo —el poeta—, yo diría también que la Poesía, como el árbol, debe nacer dotada de impulso vertical. Y mientras más alto crece, menos se pierde en ramas.

Y por aquí llegamos a una segunda conclusión y es que la Poesía debe tener igualmente instinto de la altura. El hecho de llevar raíces hincadas en tierra no impide al árbol crecer; por el contrario, le nutre el esfuerzo, lo sostiene en un impulso, le hace de base firme para proyectarse hacia arriba. La Poesía como los árboles nace de la tierra y de la tierra ha de servirse, pero una vez nacida, no me parece propio que ande como los puercos, rastreando en ella.

Tercera norma a deducir de estos mis puntos de vista: rastrear es línea tortuosa, crecer es línea sencilla, casi recta. Si la Poesía ha de crecer como el árbol, ha de hacerlo también sencillamente. Si ha de llevarnos a algún lado lo hará con agilidad y precisión, de lo contrario perderá el impulso original antes de alcanzar la meta.

Todo lo que sea adornar la Poesía, envolverla o sofisticarla ha de estorbar su función de conducir, su aptitud de crecer, su ligereza de ascender.

No debe ser el poeta en exceso oscuro, *y sobre todo no debe serlo deliberadamente*. Velar, vedar el mensaje poético, establecer sobre él un monopolio para selectas minorías, es una manera de producirse antisocialmente; y para emplear otro vocablo de actualidad, antidemocráticamente.

Y esto no lo digo ahora, lo vengo diciendo desde hace tiempo a los poetas jóvenes; no puede por menos que llamarme la atención el curioso fenómeno de que, a fin de cuentas, hayan venido a ser los poetas llamados un poco despectivamente «de torre de marfil» los que hablaban un lenguaje poético accesible a todo el que quisiera leerlos.

Resumiendo pues estas ideas que sólo son las recogidas por mi experiencia personal, les digo que la Poesía debe llevar en sí misma una fuente generadora de energía capaz de realizar alguna mutación por mínima que sea. Poesía que deja al hombre donde está –al ama de casa en su quehacer doméstico, a la mecanógrafa en su silla de mecanógrafa, al sabio en su sillón de sabio– ya no es Poesía.

Poesía es siempre un viraje, un vuelco, y así ha de sentirse cuando se lea y cuando se escriba.

Esta energía no es, no debe ser, una fuerza ciega; debe estar orientada, y habrá que suponer que siendo así lo sea hacia algo que haga valer la pena del viaje. Y, por último, entiendo que este viaje ha de ser lo más breve posible para llegar antes que se pierda la carga eléctrica. Por eso es tan importante ser concisos, ser exactos y limpios en la expresión.

Queda todavía por ver la forma exterior de la Poesía, pero *sobre ese extremo no es prudente dictar normas*. Metro libre, estrofas clásicas, acentuación, consonantes, todo eso debe quedar a entera libertad selectiva del poeta. Yo solamente me atrevería a sugerir una condición, y es que se demostrara previamente que se es capaz de escribir un soneto. Después de eso, que se escriba como se quiera. Por esa razón en todos mis libros de versos hay y habrá siempre un soneto. Uno sólo, pero está ahí para justificar que cuando escojo el metro libre ha sido porque me pareció más adecuado a la índole del tema o porque he creído hallar un ritmo secreto en aquella forma, pero no por incapacidad de hacer otra cosa.

No cabe evadir, por muy breve que haya querido hacer esta exposición de poesía en general, el llamado poema en prosa. Ésta es una clase de poema de la que por desgracia se ha abusado mucho, precisamente por esas facilidades que al parecer brinda de no tener que ceñirse a medidas ni asonancias. Y he dicho al parecer, porque en realidad el poema en prosa es mucho más difícil que el poema en verso, pues carece de la música, del ritmo, de la gracia en que el verso apoya la idea. Al poema en prosa le han cortado las alas y tiene que llegar, sin embargo, a la misma altura que su hermano angélico.

Naturalmente, casi nunca llega y de ahí el generalizado desconcepto que de ellos se tiene hoy día.

Pero el poema en prosa tiene su razón de existir. Hay, pudiera decirse, ideas poéticas que no encajan bien en el verso, ni siquiera en el metro libre. *Y hay que decirlas en prosa.* No sé bien, no he podido saber nunca, en qué consiste esa diferencia que debe ser sutilísima; yo la percibo muy distintamente, pero no me es posible explicarla.

Todavía a veces la Poesía gusta de refugiarse en una forma última, la de la prosa simple. No la del poema en prosa cuya existencia generalmente breve se concreta a la exposición de la propia idea poética, sino a la prosa que se emplea en hacer una narración, una descripción, una exposición de algo que no es la poesía misma.

Esta forma, aunque la he practicado mucho, yo no la aconsejo. Casi puedo decir que la poesía se ha metido en mi prosa sin yo quererlo, pues siempre he entendido que una prosa elegante no debe ser poética.

Y como creo que ya estamos en la poesía mía, voy a leerles dos ejemplos de poesía en prosa, una utilizando la estructura del poema breve que le es propia, y otra en la forma en que yo entiendo no debe hacerse, aunque la haya hecho con más o menos fortuna. Veamos el primer ejemplo:

POEMA XX

El gajo enhiesto y seco que aún queda del rosal que murió en una lejana primavera, no deja abrirse paso a las semillas de ahora, a los nuevos brotes ahogados por el nudo de raíces que la planta perdida aún clava en lo más hondo de la tierra.

Poco o mucho, no dejes que la muerte ocupe el puesto de la vida: recobra ya ese espacio de tu huerto, ahora que hay buen sol y lluvia fresca... que las puntas verdes que ya asoman, no se enreden otra vez en el esqueleto del viejo rosal que hace inútil el esfuerzo de la primavera y el calor de la tierra impaciente.

Si no acabas de arrancar el gajo seco, vano será que el sol entibie la savia y pase abril sobre la tierra tuya: vano será que vengas día a día como vienes con tus jarras de agua a regar los nuevos brotes...

—No es mi agua para los nuevos brotes: lo que estoy regando es el gajo seco.

POEMA XII

Yo guardaré para ti las últimas rosas...

Porque no hayas sembrado, no tengas miedo de encontrar la casa vacía. Porque no la cerraste para la tormenta, no pienses que otros no pondrán su pecho contra el viento.

Ninguno firme como el tuyo cuando quiso serlo, pero con el huracán a la puerta, todos sabremos reforzarla.

Yo salvaré la casa y el jardín: yo recogeré todo lo que aún es digno de guardarse, menos, quizá, de lo que cabe en el hueco de mis manos... Pero yo guardaré para ti las últimas rosas, y cuando tú vuelvas y veas mi casa sin luz, mi jardín devastado, piensa con una lánguida emoción que todavía hay rosas para ti.

POEMA XV

Todas las mañanas hay una rosa que se pudre en la caja de un muerto.

Todas las noches hay veintinueve monedas que compran a Dios.

Tú que te quejas de la traición cuando te muerde, o del fango cuanto te salpica... Tú que quieres amar sin sombra y sin fatiga... ¿Acaso es tu amor más que la rosa o más que Dios?

Como ustedes ven, en estos poemas la idea poética da, por sí sola, existencia al poema mismo. Las palabras no están dispuestas en verso, pero sirven para enunciar y resolver un concepto de pura poesía; más aún: ese concepto necesita de las palabras así dispuestas y si yo le hubiera «colocado» medida y consonancia, hubiera perdido seguramente lo que pudiéramos llamar su gracia agreste, su desnudez fresca y flexible.

Veamos ahora la poesía «colada» en prosa narrativa. (Porque tomándolos de mí misma yo quiero poner ejemplos también negativos.)

Éste es un fragmento de una novela, o cosa así... llamada *Jardín*. El jardín en la novela es más que un escenario, es un personaje, es, mejor dicho, el verdadero protagonista de la obra. Así lo siente Bárbara, que por un momento intenta luchar con él, lucha verdaderamente dramática por todo lo que tiene ella de física y todo lo que tiene de abstracto el contrincante. Es pues, la lucha aquella, vieja como el mundo de la materia que se rebela contra un yugo invisible y misterioso.

Leeré sólo un fragmento, para ilustrar lo que vamos diciendo. «Viento de Cuaresma», se intitula este capítulo.

> Era ya avanzada la Cuaresma, y el viento del mar se llevaba las hojas del jardín en torbellinos ardientes.
>
> Zumbaba el aire cargado de olores sofocados, de insectos que despertaban de los largos sueños hibernantes.
>
> El cielo, lívido y sin nubes, llameaba sobre las rocas desnudas, sobre el mar turbulento, sobre el jardín encogido; en el estanque, el agua inmóvil y turbia, con coágulos grasientos, era como el ojo de un muerto.
>
> Un trágico silencio se había espesado a lo largo de los senderos, donde la yerba comenzaba a crecer; un vaho letal se adhería a los árboles macilentos, a los muros, a las piedras, sin que de fijo se supiera de dónde emanaba, si del cielo muy bajo, con grumos de nubes, o de la tierra, siempre recién movida, como la tierra de los cementerios.
>
> Bárbara quiso bajar el jardín por última vez.
>
> Un sentimiento extraño la había invadido todo el día, y ahora caminaba despacio, con los brazos escurridos a lo largo del cuerpo, evadiendo las hojas secas, con la falda recogida para no tocar una flor, para no despertar al jardín.

No era ya el invierno, y, sin embargo, la primavera parecía estar aún muy lejos; hasta tenía la rara sensación de que ya no habría primavera nunca más, de que la tierra se quedaría detenida en aquella luz y en aquella atmósfera, como si atravesara una indefinida estación propia de otro planeta.

El viento batía su débil cuerpo envolviéndolo en ráfagas calientes y tolvaneras de polvo. Se detuvo mareada junto a un rosal, asiéndose a una rosa.

Era aquélla la última rosa del invierno o la primera de la estación florida; la rosa de nada, más bien, y la rosa de nadie; enjuta y pálida, todavía en capullo, se mecía en el viento sin deshojarse.

«No la veré abierta —pensó Bárbara, y las finas aletas de su nariz se dilataron con ansia—. Mañana abrirá la rosa; pero mañana... ¡mañana!».

Pronunció en alta voz la palabra, y el filo de las sílabas pareció cortar algo, sonar con algo de cosa desgarrada en el silencio casi corpóreo del jardín, sin que ella lo advirtiera, toda deslumbrada por lo que había de magia, de milagro, en aquella palabra.

Porque milagro había, a pesar de lo sencillo que había sido todo; milagro en la misma sencillez, en la propia simplicidad y en lo ligera, lo veloz que había andado la vida para ella últimamente. La vida, que siempre le fue agua estancada de cisterna, libertada de pronto, volcada por una imprevista pendiente en brillante y tumultuosa catarata.

—¡Mañana!

Sería ya mañana... ¡Qué pronto! ¡Y qué tarde!

(El jardín agazapado parecía no comprender).

—¡Mañana, mañana! Mañana...

Dijo esta palabra tres, veinte veces. La dijo hasta perder, por un vicio de acústica, el sentido de las sílabas ordenadas. Mañana...

Arrancó la flor y la echó al viento. Hacía un gran esfuerzo para volver a comprender, para abarcar nuevamente y de un golpe todo lo que significaba para ella esa palabra.

—Mañana...

Mañana era azul y blanco, mañana era hermoso y grande y reluciente, mañana era como una flor de oro, como un pájaro de luz, como un esmalte de oro acendrado; mañana era el Amor, el Amor fuerte y claro, la palabra buena que no tuvo nunca y la caricia que se perdió siempre antes de llegar a ella; mañana era la sonrisa y la lágrima, era su boca, su boca tibia, deseada hasta la angustia, hasta el dolor casi físico, su boca donde lo encontraba todo, su boca que no dejaría de irse sin ella, que no dejaría perder aun a costa de perderse a sí misma.

Mañana era él, nudo seguro de sus brazos, refugio cierto de su pecho; mañana era él, paz de sus ojos, bienandanza de su presencia.

Mañana era lo sano por lo mórbido, lo real por lo absurdo, lo natural por lo torcido...

¡Lo natural, lo natural sobre todo! Lo natural de todo él, bueno, armonioso, limpio.

Sí, mañana era el mar; el mar inmenso y libre.

Era saltar el trampolín del horizonte para caer en una colcha de rosas y de plumas.

Era prenderse al sol, y con el sol, irse allá muy lejos, a donde el sol va rodando.

Mañana era la Luz, la Libertad, la Vida...

Más que la Vida, la Resurrección; mañana era como nacer de nuevo, limpia de recuerdos, limpia de pasado y con el alma encantada de inocencia y alegría.

Mañana era la salud del corazón, la aleluya de su corazón, la risa, la risa de su corazón. Mañana era la Vida, más que la Vida...

Y trémula, vibrante, impulsada por un demente júbilo, alzó la cabeza y cantó.

Su voz fuerte, aguda, extraña, mitad música y mitad grito se elevó en el aire y rebotando en los muros, fue a agujerear el cielo acartonado...

¡Mañana, mañana, mañana!

Su canto no era más que eso; Mañana... Remolinos de viento seco pasaban junto a ella y la envolvían sin apagar la llama sonora de su voz. Mañana...

Un poco antes del alba, ella dejaría su alcoba en silencio (había aprendido bien a no hacer ruido), atravesaría el jardín en tinieblas, hasta llegar a la cancela, que abriría despacio, sin precipitarse, y saldría sin mirar atrás, y ya fuera rompería a correr hacia la playa donde él la esperaba, donde él la levantaría como un abrazo de margaritas y saltaría con ella en brazos a la cubierta de su barco, ya andando, ya enfilado derecho al horizonte...

Un pájaro graznó en el aire. Bárbara dejó de cantar, se detuvo y miró extrañada en torno suyo.

El jardín negro y aromático, crujiente de hojarasca, le echaba un aliento febril a la cara.

De pronto le pareció absurdo encontrarse allí. El banco junto a las vignonias y la Diana de arco roto le fueron, en aquellos momentos, cosas desconocidas.

Se asombró de las proporciones casi deformes de las vignonias, y como una persona que visita por primera vez un paraje, se fijó en él con atención casi cortés...

Una sombra, húmeda y caliginosa comenzaba a cuajarse en los senderos; aullaba el viento lúgubremente, trayendo en torbellinos un olor áspero a salitre, a resina, a yerbas mustias.

–Mañana...

La mágica palabra aún le subía a los labios; pero los oídos no la percibían bien...

–Mañana... –Volvió a decir levantando la voz, esforzándose en apresar de nuevo la visión gloriosa:

Mañana la luz, la vida... ¿La vida?

El tamaño desmesurado de las vignonias la distraía vagamente, le llevaba la atención...

–Mañana, sí, mañana...

¿No era mañana cuando él se la llevaría en su barco hacia la felicidad, hacia el amor?

Sí: era mañana ya; hacia el amor...

¿Por qué serían tan grandes las vignonias?

Nunca le habían parecido tan grandes; más que la última vez parecía serle la primera que se encontraba en aquel sitio.

Estas vignonias monstruosas, este olor a madera podrida, a hoja mustia...

Bárbara se pasó la mano por los ojos y trató de pensar en los dientes de él; aquellos dientes blancos y apretados, como los granos de guisantes en su vaina.

Una pesadez extraña le oprimía las sienes; el vaho ardiente que rezumaba el jardín parecía pegársele, penetrarla poco a poco. Sentía que el viento se lo agolpaba en los ojos, a la nariz, cegándola, ahogándola con una lentitud de pesadilla. Era un vaho agrio, nauseabundo, de cosa muerta, que se le filtraba por las ropas, por la carne azul, por entre la red de venas y la sangre lenta, y por los huesos, hasta dónde, hasta dónde...

Tuvo la mórbida sensación de estar formando ella también parte del jardín. Se sintió verde, blanda, soleada, atraída por la cabeza hacia arriba y con los pies leñosos, pegados a la tierra siempre. Comprendió la tragedia vegetal, se sintió más, se sintió prolongada por abajo del suelo, apretada, empujada por las otras raíces, traspasada por finos hilillos de savia tibia, espesa, dulzona...

Quiso volverse atrás, desprenderse de la tierra, y, apartan precipitadamente las malezas, rompió a andar con paso torpe y vacilante.

La noche descendió sobre el jardín, y del fondo de las tinieblas los árboles alzaban sobre ella sus gajos retorcidos como crispados puños, como muñones renegridos goteando resina por sus grietas...

Bárbara recordó vagamente viejos sueños... Él yéndose en su barco, llamándola desde lejos, y la muralla verde que crecía entre los dos...

Otra vez había sido una mano enorme, cuyas falanges estaban formadas por los florones de cantería de la casa, sembrados de un ralo vello de musgo, y que la agarraba, la oprimía despacio, la mataba sin sangre y sin tumulto...

—Mañana —quiso volver a decir; pero la palabra buena le tropezó en los dientes apretados y se le hundió en el corazón sin ruido, como una flor que cae en un pozo...

Sintió miedo. El ave volvió a graznar ya más lejos; de lo alto de un limonero se desprendió una lagartija amarilla.

Bárbara se detuvo de nuevo. La arboleda se hinchaba, se cerraba compacta y negra en torno suyo.

Una cosa extraña, sombría, como amenazadora; una cosa sorda y siniestra parecía levantarse del jardín. Bárbara se irguió súbitamente.

También a ella una imprevista fiereza le torcía la boca y le ensanchaba la frente. Como la masa de agua subterránea que rompe un día la horadada hoja de roca que ya la separa de la superficie de la tierra, así la vieja cólera de su corazón saltó de golpe.

Acorralada, se revolvió; hostigada, se abalanzó y, llena de ira, con sus pies, con sus manos exasperadas y trágicas, arrancó los arbustos, pisoteó las flores, destrozó las ramas, arrojó piedras al estanque, a los árboles, a los muros; derribó la Diana, que cayó aplastando las vignonias y poniendo en fuga a los murciélagos y hasta las yemas incipientes, los retoños para la primavera próxima fueron triturados con rabia entre sus dientes...

El jardín la seguía mirando; la seguiría mirando ya para siempre con su ojo impasible, su ojo turbio de muerto.

Se trata de una prosa poética. La poesía está en ella fragmentada, diseminada como un polvillo de purpurina. No sé si ha salido bien o si ha salido mal, pero si sé de modo claro una cosa, y es que no volveré a hacerlo. De ahora en adelante dejaré a cada rey en su reino y cuando de frente a una situación objetiva yo escriba en prosa —si es que vuelvo a escribir—, pondré para la poesía un letrero en mi mesa que diga: «se prohibe la entrada».

Por lo expuesto podrán ustedes ver que de mi prosa estoy menos segura que de mi poesía. Mi poesía por lo menos creo que cumple con los tres postulados que yo misma le he puesto por ley, o sea, la movilidad, la meta superior a su punto de fluencia, y la limpieza de expresión.

Sobre todo este último principio será lo único que de verdad reclame para mí, lo único que habrá que concederme siempre si es que en lo adelante se considera útil hablar de Poesía o hablar de mí.

Mi poesía es limpia y concisa y está escrita para todo el mundo. Por eso todo el mundo me la entiende. Eso me consta. Y no hay cosa que me lastime más profundamente que el que me digan que mi poesía no es para el gran público.

Nunca he pensado que ella fuera mejor o peor que el pan, y el pan se pone en todas las mesas.

Recuerdo una ocasión, en Mar del Plata, en que me vi obligada a leer versos míos en unas condiciones nada propicias para ello. Por uno de esos azares del destino me encontraba yo en medio de un congreso de automovilistas. El Automóvil Club de la Argentina había invitado a los representativos de todos los demás Clubes de las Repúblicas sudamericanas y allí estaban paraguayos, brasileños, bolivianos, todos hombres de negocios, preocupados unos en las minas de estaño, otros en el ganado lanar, otros en los pozos de petróleo, y yo entre ellos sin más nexo que una hospitalaria cortesía. Estos respetables caballeros, algunos acompañados de sus esposas, tenían en ese momento un interés común y era el de la Carretera Panamericana destinada a poner en movimiento sus respectivas empresas, a dar camino a la producción de sus fábricas, de sus haciendas, de sus inversiones. Pues bien, en eso estábamos cuando se le ocurrió a una de las señoras que yo leyera algunos versos... Confieso que por primera vez en la vida me faltó esta confianza en ser entendida que me ha permitido enfrentarme siempre serenamente con cualquier auditorio.

Ellos estaban allí discutiendo kilómetros de asfalto, calculando el costo de estos kilómetros en soles peruanos, sucres ecuatorianos, contos brasileños, y cuando recesaban un poco en tan graves tareas, lo único que querían era bailar algunos tangos y zambullirse en la playa... No había, la verdad, lugar ni tiempo para versos.

Pero yo empecé a leerlos... Quizás hasta como un experimento. Y puedo decirles una cosa: jamás he sido escuchada en mayor silencio, con mayor interés, con mayor identificación.

Se olvidaron los tangos, se olvidaron los contos, el peaje, el asfalto y los adoquines... Se olvidaron durante horas... Desde aquel día supe lo que hay de compenetración, de fraternidad, de filiación cristiana en la Poesía.

¿Qué más puedo decirles sobre la mía en particular?

Les diré que en mi afán de concisión, voy podando el verso de lo que yo juzgo superfluo hasta dejarlo más pelado que el *gajo seco* del poema que acabo de leerles; a veces llego hasta desaparecerlo totalmente del papel.

No me encariño con la propia obra y he roto mucho más de lo que he dejado en pie, porque he roto todo lo que creí que debía romperse y era más de lo que debía guardarse.

Considero el adjetivo la parte menos noble del idioma y mi ideal sería poder prescindir de él, escribir sólo a base de sustantivo y verbo. El verbo es la vida de la palabra; el sustantivo, como su nombre lo indica, es el espacio donde esa vida se sustenta.

Los participios vienen después; ellos encierran también acción, pero no en todo su poder. En el participio pasivo, la acción está muerta, ya verificada; en el activo, está potencial. Presente, sólo en el verbo.

MUJER Y MAR

Eché mi esperanza al mar:
y aún fue en el mar, mi esperanza
verde-mar...
Eché mi canción al mar;
y aún fue en el mar, mi canción
cristal...
Luego eché tu amor al mar...
y aún en el mar fue tu amor
sal...

Jamás me he propuesto escribir sobre un tema determinado. Por esa razón no he concurrido nunca a concursos ni he sido poeta de una tendencia o de una moda. A veces esta negación, esta imposibilidad mía de escribir a tema fijo, se ha dado aun en circunstancias verdaderamente dramáticas, como en el caso de una madre que, habiendo perdido a su pequeño vástago, me envió un retrato de la criatura diciéndome que su único consuelo en el mundo sería que yo le hiciera unos versos a su hijo muerto. ¡No pude hacerlo! Lo intenté, había vena emotiva para escribir algo, pero no pude hacerlo. Yo misma, al proponérmelo, me lo estaba impidiendo, y la madre no recibió de mí ese consuelo. Para toda la vida me ha quedado la amargura del episodio. Pero vean hasta qué punto esto es así: mi libro *Juegos de agua,* me parece hecho exprofeso para tratar el bello tema, es sólo una recolecta de poemas incidentes en él, pero escritos en diversidad de épocas y circunstancias. Tanto que cuando los quise reunir, me encontré que no alcanzaban para un libro y en la imposibilidad de hacer las seis o siete composiciones más que se necesitaban, me vi obligada a intercalar pequeñas prosas olvidadas, para cubrir espacio. Lo que ha parecido a muchos una originalidad o un adorno, no ha sido más que necesidad simple; la misma que la modesta anfitriona a quien no alcanza la vajilla azul y la salpica como de propósito con platos color de rosa.

Ésta es ya una verdadera confesión y por ella verán ustedes también que escribir no es cosa fácil en mí. Tan no es cosa fácil que dudo que lo sea para otros. Escribir ya sea en prosa, ya sea en verso, me ha sido siempre algo laborioso, y lento de fructificación, de parto. Y a veces, puedo añadir, ha sido necesario desangrarme para poder dar un poco de sangre y de espíritu a la palabra...

Y esto es lo principal que hay que decir, tal vez lo único que deba recordarse de todo lo dicho en esta tarde; sólo con sangre y con espíritu es la palabra digna de nacer.

(La Habana, jueves 10 de agosto de 1950)

CUBA EN GARCÍA LORCA

ES DIFÍCIL DECIR ALGO NUEVO sobre Federico García Lorca, porque sus breves pasos en la tierra –breves, pero de profunda huella– han sido ya contados y sólo cabe situarlo en su hora y en su clima histórico.

No conozco el libro para el que estoy haciendo este trabajo, pero conozco a la autora, y sé que no escribe en vano; pese a las previsibles dificultades, ella saldrá airosa de su empeño.

De lo que no estoy tan segura es de salir yo del mío con igual suerte, pues por difícil que sea el papel del historiador, siempre cuenta con diferentes escenarios donde moverse sin tener que dejar nada al azar o a la imaginación.

Menos ha de dejarlo quien sólo debe hablar de sus experiencias personales, cuidándose de no invadir otros planos ajenos a ellas. Evidentemente, su espacio será mucho más limitado, pues de otro modo lo suyo ya no sería un testimonio, y justamente un testimonio es lo que me ha pedido Nydia Sarabia.

No quiere un prólogo, que generalmente sólo sirve para alabanza del autor; no quiere un juicio crítico, por ecuánime que éste sea.

Ella, historiadora sobria y responsable, no necesita más que un testimonio.

Y si es a mí a quien lo pide, se debe sólo a que yo soy, hasta donde sabemos, la única persona que queda viva entre las que aquí

151

conocieron y trataron a Federico García Lorca, y en todo caso la única también en condiciones de ofrecer lo que ella solicita.

Teniendo en cuenta estas razones es que me he puesto a la tarea y lo primero que debo aclarar es que mi trato con el famoso poeta, si bien ininterrumpido durante el tiempo que permaneció en Cuba, nunca fue tan estrecho como el que mantuvo con mis tres hermanos. Diferencias en los caracteres y resquemores en el oficio, como se ha dicho luego, impidieron una verdadera camaradería entre los dos. Porque él era alegre y yo melancólica; él, indisciplinado y yo metódica; él, fogoso, entusiasta, y yo comedida, de manera que salvo el amor a las bellas letras, nada podía unirnos.

Dejo en claro este punto para que no se espere de mí revelaciones importantes.

Puedo decir cosas que se saben y cosas que no se saben, pero todas muy simples, muy caseras, que sólo por relacionarse con él pueden suscitar algún interés.

Han transcurrido ya casi sesenta años de aquellos bellos días de nuestra juventud, pero creo que aún no me falla la memoria. Y todavía puedo ver a Lorca como lo vi aquel día del primer encuentro, sencillo, sonriente, desenvuelto, tendiendo una mano que era ya de amigo.

Los ojos y ese modo de estrechar la diestra ajena fueron lo primero que en él me impresionó. Daba la mano como si diera el corazón con ella.

Los ojos eran lo único hermoso que había en su persona física, sin que por esta afirmación deba entenderse que el resto era desagradable.

Ni agradable ni desagradable. Simplemente no había en él otro rasgo digno de atención: se le pudiera describir por ausencias; no era alto ni bajo, ni delgado ni grueso, ni blanco ni trigueño o moreno como dicen allá. Pudiéramos sólo sugerir que su rostro tenía un tinte oliváceo, tal vez el mismo que gustaba de poner en su gente gitana.

Hablaba un buen español y no recuerdo que lo hiciese con ese acento regional de los pueblos del sur. Recuerdo, sí, una voz más bien grave y en verdad arrebatadora cuando decía sus propios versos.

Era sencillo en el vestir, tan ajeno a las extravagancias como despreocupado de la moda, aunque no al punto de parecer desaliñado.

Usaba corbata de lazo, costumbre que no sé si copiaba de mis hermanos o eran ellos los que la copiaban de él. No era lo corriente, pues en época en que todos llevaban corbata, se prefería siempre la de nudo. Gustaba de cantar coplas de su tierra, acompañándose él mismo al piano, y lo hacía con bastante gracia.

Para cualquier trance difícil, tenía la palabra ingeniosa y ágil: en una ocasión me permití por broma hacer unos versos imitando el estilo suyo tan particular, como si dijéramos una caricatura de sus versos; y mis hermanos, por divertirse a costa de los dos, se los mostraron a pesar de mis protestas, pues sinceramente me apenaba la idea de haberlo ofendido; cuando inesperadamente le oigo decir fresco y tranquilo:

–Pues no sé por qué se alarma tanto Dulce María, si eso es lo mejor que ella ha escrito.

Me sentí en el caso del burlador burlado.

Nunca le oí hablar de política, lo cual sí es detalle muy interesante si se tiene en cuenta todo lo que se ha dicho luego acerca de su militancia.

No la estoy negando; incluso pudiera admitir que sentara plaza en ella, una vez llegado a una España turbulenta, sacudida entonces por un vendaval de pasiones encontradas.

Sólo me limito a exponer lo que le oí y lo que no le oí. Creo que así debe ser un testimonio.

He dicho que era de carácter alegre, pero algunas veces le acometían extraños miedos: estando en perfecta salud, temía morir de cáncer y a la menor alteración de su organismo –una mala digestión, un ligero dolor de cabeza– se echaba a temblar pensando que ya tenía el cáncer encima.

Se resignó –él, tan inquieto– a pasar una semana hospitalizado, sólo para que le extirparan todas las verrugas del cuerpo, que por cierto eran muchas. Decía que así tapaba las rendijas por donde podía colarse la obsesionante enfermedad.

Era un enamorado de Cuba y lo era de verdad; quiero decir que lo era sin pretensión de halagos a los cubanos, que por otra parte, sin necesidad de ser halagados, de igual forma le correspondían.

Más de una vez se le oyó decir que el pueblo más hospitalario del mundo era el cubano; que las mejores frutas del mundo eran las cubanas y que, en fin, las mujeres más hermosas del mundo eran las mulatas cubanas.

El viaje a Santiago de Cuba fue tan cierto como otras escapadas matanceras que hacía con Enrique, menos conocidas que aquélla y así lo dije hace muchos años a Nydia, muy interesada a la sazón en saberlo. Ese viaje que por alguna razón desconocida quiso hacer solo, dio lugar a casi una polémica.

Pero mi hermana conservaba una pequeña efigie de la Virgen del Cobre que él le trajo como recuerdo de aquella excursión.

Y ya que hablo de mi hermana, conviene aquí dejar otro punto aclarado: sabida es la gran amistad que hubo entre Federico y Flor, tan parecida ella a él en el carácter y en hacer caso omiso de la opinión del mundo. Fue a ella a quien envió el original de *Yerma*, hoy guardado en el Patrimonio Nacional.

Este envío habría de constituir una de las últimas disposiciones del poeta, pues se lo encargó a su amigo el musicólogo don Adolfo Salazar en vísperas del día en que ambos abandonarían Madrid, Salazar rumbo a Cuba, él rumbo a la muerte.

Esta amistad de Lorca con mi hermana, como suele suceder entre personas de distinto sexo, afines en edad y gustos, dio pie a que se pensara alguna vez en la posibilidad de un romance entre los dos.

Pero ella lo negó siempre, aun a mí misma y hasta parece que le molestara que se aludiese a tal posibilidad. Un día que se lo mencionaron le oí responder que era propio de gente vulgar confundir una amistad tan limpia y tan bonita con un idilio cinematográfico.

No fue el manuscrito de *Yerma* el único original lorquiano que quedó en casa.

El Público, otro inédito supuestamente perdido hasta hace poco, se lo regaló el autor a mi hermano Carlos Manuel, de quien decía que era el mejor poeta entre los cuatro.

Esta apreciación me parecía muy singular, pues cuando se hablaba de nuestras facultades líricas, el binomio era siempre Dulce María-Enrique, Enrique-Dulce María.

Carlos Manuel tenía su verdadera personalidad en la música; y en cuanto a Flor, no la tomábamos en serio todavía. Nos divertían sus ocurrencias y sus travesuras, pero para todos seguía siendo la Beba, la bebita, la benjamina de la casa.

Pero bien, él decía que era Carlos Manuel y le regaló el manuscrito de su última obra, la titulada *El Público*.

Debo confesar ahora que ninguno de nosotros apreció mucho el regalo. Otras obras de él nos entusiasmaban –a mí particularmente *Doña Rosita la Soltera*–, pero la verdad es que *El Público* nunca fue entendido, ni siquiera por el obsequiado.

Sin embargo, algunas escenas quedaron grabadas en nuestra imaginación, por lo insólitas y disparatadas. Sé que algunos me tendrán estas palabras por blasfemias, pero a mi edad me considero con licencia para decir lo que siento.

Pues bien, entre esas escenas a que me refería antes, nos leyó una en que el disparate era casi genial; situada en los años futuros, la humanidad se enfrentaba a un pavoroso problema: no sabía qué hacer con tantos viejos que habían llegado a poblar el mundo, pues los inventos modernos retardaban por décadas y décadas la hora en que normalmente debieran desaparecer. Ante esta situación verdaderamente crítica, se decidió fabricar una alta torre por el estilo de la de Babel, con el propósito de almacenar allí a los ancianos en espera de que la naturaleza cumpliera su deber con ellos, pero, entre tanto, sacándolos de la circulación, recogiéndolos donde estorbaban a la gente útil y en fin, librándose en alguna forma de ellos.

Recientemente y en ocasión de estrenarse *El Público* en Madrid —según dicen, con mucho éxito—, me visitó un periodista español interesado en el asunto.

Hombre joven, cordial, conocedor del tema, quería saber todo lo que yo pudiera contarle acerca de dicha obra. Le relaté entonces lo poco que recordaba de ella, porque en realidad era poco, y cuando llegué a la escena de los viejos, con gran asombro mío lo vi regocijarse entusiasmado: según me explicó, ésa era precisamente la escena cuya falta se notó en el borrador utilizado para el estreno de *El Público*.

Cosas de la vida.

Debo decir ahora que el manuscrito ofrecido por Lorca a mi hermano fue destruido por él mismo.

Como también se sabe —porque nuestras interioridades nunca han podido permanecer mucho tiempo ignoradas—, Carlos Manuel, al comienzo de los años cuarenta, perdió la razón y nunca más la recuperó.

Y así fue como en un arrebato de locura dio fuego a todos sus papeles y el manuscrito de *El Público,* así como sus propios originales, versos, cuentos, partituras, fueron consumidos por las llamas. Muy poco pudo salvarse del desastre, y aún viven testigos que lo presenciaron.

Este lamentable suceso ocurrido hace tantos años, salió a luz hace poco, pero no para contarlo como fue, sino para atribuirme con solapada malicia la destrucción de ese documento que, gustárame o no me gustara, ya pertenecía a la literatura universal.

De tal infundio tuve que defenderme públicamente en un diario de Madrid, porque era allí donde circulaba el insidioso rumor.

Perdóneme Nydia si aprovecho estos comentarios para desmentirlo una vez más.

De todos modos, el episodio no es ajeno al protagonista de que se trata.

Hace poco recibí la visita de Ian Gibson, el apasionado y apasionante biógrafo de Federico García Lorca.

Su último libro sobre el poeta –que tuvo la amabilidad de enviarme desde España con Miguel Barnet– ha sido, según me dicen, el mayor éxito registrado en varios años en los círculos literarios de Madrid.

Ian Gibson es joven todavía y no pudo conocer a su biografiado; ya puede suponerse la sed con que se acerca a cualquier fuente –aunque sea un hilo de agua– donde crea poder beber algunas gotas sobre un tema en que de todos modos ya es maestro.

–¿Cómo era Lorca?– fue lo primero que me preguntó. Le dije más o menos lo que acerca de su persona digo aquí.

Pero él insistió. No se daba por satisfecho, quería saber más.

Por fin saltó la pregunta clave.

–Y usted que tuvo la suerte de verlo día a día, ¿no pudo observar nada de especial en su aspecto?

Yo sonreí y pude contestar sin faltar a la verdad:

–No observé nada: absolutamente nada.

(La Habana, 2 de mayo de 1988)

DELMIRA AGUSTINI: EL MISTERIO
EN SU OBRA Y EN SU MUERTE

U N DÍA DE ENERO DE 1953, conversando yo con Gabriela Mistral aquí, en mi casa, donde me había cabido el honor de hospedarla, me preguntó ella cuál era a mi juicio el primer poeta de América, y yo le contesté sin vacilar:

–Rubén Darío.

Su comentario no pudo ser más escueto ni más inesperado:

–Coincido con usted.

Pensaba yo todavía en lo curioso que resultaba el hecho de que Gabriela, tan celosa siempre de su tierra andina, de sus raíces indoamericanas, sintiera tal admiración por el bardo de los jardines versallescos, cuando mi interlocutora me lanzó otra pregunta, esta vez más difícil de contestar:

–Y de *nosotras,* ¿Cuál cree usted que sea la primera?

Confieso que ese *nosotras* me halagó mucho y, fuese por ello o por la pregunta en sí, mi turbación era evidente y tardaba en responder.

Notándolo ella, agregó con cierta maliciosa sonrisa:

–No vaya usted a incurrir en la simpleza de decirme a mí misma que soy yo. Por lo menos ponga otra a mi lado.

Por entonces tenía yo el genio un poco vivo y le respondí en el mismo tono:

–Pues no me queda más remedio que incurrir en esa simpleza porque usted me lo ha preguntado y porque es la verdad. No voy a poner ninguna a su lado, pero voy a decirle otra verdad que tal vez no le parezca tan simple: si otra de *nosotras,* como dice usted, hubiera vivido los años suyos, no sería usted la primera poetisa de América.

Gabriela contestó sencillamente:

–También coincido con usted.

No la habíamos nombrado, pero las dos sabíamos de quién estábamos hablando.

Hablar, escribir sobre la gran poetisa uruguaya Delmira Agustini, fue siempre un viejo sueño mío, un sueño destinado como tantos otros a no realizarse. En este caso por las casi insolubles dificultades que ofrece el tema, a las que habría que sumar las también casi insolubles dificultades que años y fatigas de toda índole han ido acumulando sobre mí.

De modo que este trabajo será sólo un boceto de la obra que no llegó a realizarse, la que ella hubiera merecido.

Dicho esto, entremos en el mundo de la poetisa, que más que un mundo es un doble mundo, sin saber a ciencia cierta en cuál de ellos vivió.

La primera conclusión a que se llega, es que vivió en ambos, pero replanteada la cuestión no es tan simple como parece: son mundos tan distantes entre sí, que ni aun si pudiéramos dotar a esta criatura –que es por sí sola un prodigio–, ni aun si pudiéramos dotarla del don de la ubicuidad quedaría explicado el fenómeno porque él trasciende las primeras fronteras entre lo físico y lo metafísico, cae dentro las especulaciones ontológicas que no sabemos adónde nos llevarían.

En efecto, hasta sus dieciocho o diecinueve años, Delmira Agustini y Murtfeldt no es más que una señorita burguesa de su tiempo y de su ámbito, bastante estrecho por cierto, para aquella generación ya en tránsito de un siglo a otro. Había nacido el 24 de octubre de 1887 en la ciudad de Montevideo, en hogar algo más que acomodado y rodeada desde su infancia de los más vivos y solícitos afectos. No se sabe que haya habido artistas ni gente de pluma en su familia. No era la primogénita, pues su único hermano había venido al mundo cinco años antes, pero a lo que se ve, fue ella el centro de todo el interés y el celo familiares.

Sangre nórdica y sangre meridional confluían en sus venas: al modo que confluyen en su ciudad natal las aguas del gran río y las del mar, del guapo abuelo alemán heredó la estampa de una *walkyria,* de una Brunilda arrebatada por la Cruz del Sur. Del abuelo italiano tenía la gracia latina que trascendía a su gesto, a su voz, a su sonrisa.

Obsérvese ahora que sólo hablo de su aspecto físico porque de su alma sabemos muy poco, o no sabemos nada. Sabemos sólo lo que nos permiten vislumbrar sus extraños y hermosos versos, tan hermosos y tan extraños que unidas estas dos cualidades como están en ellos, no creo que se encuentren ni vuelvan a encontrarse en todo el mundo de habla hispana. Y téngase en cuenta que ésta mujer sólo vivió veintiséis años.

De tantos juicios laudatorios que a su tiempo saludaron la aparición de sus libros, sólo voy a citar uno que acaso sea el que llegó más cerca de ella. Dice así Carlos Vaz Ferreira:

«Si hubiera que apreciar con criterio relativo, teniendo en cuenta su edad, etc., diría que su libro es simplemente "un milagro". No debiera ser capaz, no precisamente de escribir, sino de entender su libro. Cómo ha llegado usted, sea a saber, sea a sentir, lo que ha puesto en ciertas poesías suyas... es algo absolutamente inexplicable».

La infancia de Delmira transcurre tranquila y feliz, aunque ella nos dice que desde los tres años hacía versos, lo cual no indica ya mucha tranquilidad.

No buscó o no se le permitió la compañía de otros niños, no fue nunca al colegio; sus padres, o mejor dicho, la madre, que parece haber sido la dictadora de la familia, se ocupó de hacer venir a la casa profesores que le enseñaron todo lo que por aquel entonces constituía la perfecta educación de una muchacha, esto es, las consabidas cuatro reglas, generalidades sobre Gramática, Geografía e Historia, sin olvidar por supuesto el bordado, el dibujo y el piano. No faltaron lecciones de francés bastante bien asimiladas y hasta por breve tiempo una especie de mentor encargado de dirigir sus lecturas, casi siempre en este idioma. Sabida es la hegemonía espiritual que en el pasado siglo ejercía Francia en nuestras juventudes latinoamericanas al igual que ahora la ejercen otras aún más exóticas culturas.

Pero detengamos la atención en este detalle capaz de despistar al más sagaz investigador: Delmira Agustini no poseyó nunca una biblioteca. No se halló biblioteca alguna en su hogar de soltera, ni en el que por tan poco tiempo habitó de casada. Dejó unos cuantos libros sueltos, casi todos de autores extranjeros y muy disímiles entre sí; pero no, en número ni ordenación, suficientes para constituir –por modesta que fuese– una agrupación de volúmenes digna de ese nombre.

Tal ausencia en una sobresaliente figura intelectual, dotada además de medios económicos para procurarse cuanto se publicara dentro y fuera del país, no puede por menos que sorprendernos y más teniendo en consideración que allá *sí* publicaban libros. Este detalle que sus biógrafos pasan por alto, lo considero muy significativo a la hora de ocuparnos de su poesía. Él nos revela, por lo pronto, que la joven autora no escribía bajo el influjo de nadie, que sus grandiosas imágenes, inexplicables para sus críticos, sus tremendas concepciones que a veces hasta parece que dan vértigos, brotaban sólo y exclusivamente de su casi virgen cerebro.

Como es de suponer, esto no significa que ella no conociera la obra de otros poetas, si no profundamente, más o menos como la hemos conocido todos en nuestra juventud. Que yo recuerde, a cuatro nombra de manera especial: Albert Samain, el quintaesenciado autor de *Le chariot d'or;* Rubén Darío, Verlaine y Villaespesa.

Véanse que mezcolanza y qué poco tenían que ver ellos con ella.

De lo expuesto se deduce que pese a lo contradictorio que, en apariencia al menos, resulta su poesía con el ambiente y las circunstancias en que se creó, no hay que buscarles orígenes, ni ancestros, no hay que buscarles entronques que no tuvo ni seguidores que no podía tener. Es la poesía más solitaria del mundo.

¿Era ella también una solitaria? Hay que decir, como antes, que en apariencia no lo fue. Llegada a la edad que sus mayores consideraron adecuada, frecuentó la amistad y los gustos de la joven intelectualidad de su tiempo, fue admirada por todos y sensible a esta admiración.

En el ambiente doméstico hemos visto que era lo que hoy pudiéramos llamar una super amada, una super protegida y hasta una super idealizada.

Padecía de insomnios, y según contaban los suyos, casi desde que nació. Hecha quizá por ello a escribir de noche, sólo en las primeras horas de la mañana lograba reunir los dispersos retazos del sueño. Esta condición bastante frecuente en los poetas y no sobrellevada con mucha paciencia por los que conviven en su vecindad, era sin embargo estrictamente respetada en el hogar de la poetisa, obedientes sus moradores al toque de silencio impuesto por la madre al trajín mañanero. Y cuando al fin por la entreabierta puerta Delmira aparecía pálida, ojerosa, recogiendo con gesto de fatiga las deshechas trenzas su progenitora, cambiando el ceño adusto por una sonrisa, la saludaba enternecida:

–Ya ha salido el sol...

No hubo pues, o no parece que las haya habido, incomprensiones familiares ni rebeldías del genio, de las que suele haber en estos casos.

Como se puede ver, hasta el momento en que la presento a ustedes todo parece bastante normal, bastante hogareño, bastante bien compaginado.

Y sin embargo esta mujer llevaba dentro los genes de la futura tragedia.

Leyendo su obra –que puede considerarse extensa para su corta vida– llama la atención la gran diferencia existente entre su verso y su prosa. Su verso es relampagueante, penetrado de una desconocida sustancia ardiente y al mismo tiempo sacudido por ráfagas heladas. Se da en él la extraña contradicción física del hielo que quema.

En sus páginas en prosa, no hay nada de esto. Escribe «bonito» y nada más.

Pero donde la paradoja adquiere dimensiones insospechadas es en las cartas amorosas, las que escribe al novio, pues no se sabe que escribiera otras. Llamábase este hombre a quien cupo el triste honor de recibirlas, Enrique Job Reyes.

Son pocas, por lo menos las que hasta nosotros han llegado, y no son cartas sino esquelas, esquelitas diríamos, no sólo por su brevedad sino también por su contenido. Dado el largo tiempo que duró el noviazgo, es de suponer que hubo muchas más, pero de todos modos las que logró la hermana de él, Alina Reyes, rescatar del desastre, nos dejan realmente perplejos.

Nada parecido a las apasionadas, explosivas cartas de la Avellaneda, ni a las de aquella religiosa Mariana Alcoforado que aún no se sabe si las escribió; menos aún a esas otras exquisitas y patéticas de Eloísa a Abelardo.

La que escribe estas mínimas misivas nos da la sensación de ser una niñita boba, una colegiala –de las de antes– que no atina a expresarse más que con diminutivos y ñoñeces.

Al modo de los niños se refiere a ella, casi siempre en tercera persona –la Nena, apelativo cariñoso que le daban en su casa– y para que el infantilismo sea completo, hasta imita la tendencia de esa edad a cambiar letras y giros: «tere» por quiere, «vene» por viene, «yo sabo» por yo sé, y así por el estilo.

Por supuesto que eso lo hacía ella voluntariamente, pero es que tal voluntad resulta ya por sí misma bastante anodina y desconcertante.

Tratando de explicar este imprevisto estilo epistolar, Ofelia Machado, su también muy notable compatriota a quien conocí personalmente y a quien debo la mayor parte de los datos que hicieron posible este trabajo, nos dice que probablemente Delmira redactaba así sus misivas para procurarse dentro de su nimiedad una especie de relajamiento en la tensa vida interior que ella vivía, es decir, con el deseo de «desvivirse», con la voluntad consciente e inconsciente de no ser o no haber sido en el mundo otra cosa que la «Nena». «Dadaísmo» lo llama su biógrafa con frase tan lúcida como ingeniosa, si bien haciendo resaltar que ello no excluye una auténtica ternura para aquél a quien iban dirigidas.

En lo tocante al enigma que pone fin a la obra y a la vida de nuestra Esfinge de color de rosa, confiesa honradamente que nunca llegó a desentrañarlo.

Prosiguiendo ahora con las cartas, más intrigantes cuanto más banales, es de notar también –ya esto va de mi cosecha– el cuidado que en estas microepístolas pone la poetisa en recomendar al hombre amado reserva y discreción, como si dijera en ellas un algo demasiado íntimo o concerniente a su pudor, lo cual en modo alguno se vislumbra. Más que discreción, pide ocultación, como si por alguna razón que se nos escapa tuvieran que ser las suyas unas relaciones secretas. ¿Lo fueron realmente? Deben de haberlo sido, por lo menos al principio, pero eso no tiene nada de particular, ni justifica el «dadaísmo» que señala la profesora Machado.

Carmen Conde, la ya famosa escritora española, tiene también su propia interpretación de esta anomalía y la expone en su reciente libro *Once grandes poetisas américohispanas*. Dice ella que tal vez la poetisa, un tanto harta de ser tratada como una niña prodigio, se burlaba de todos y de sí misma, representando así el papel que los suyos le habían asignado.

Es este otro punto de vista muy interesante, que, de ser aceptado, nos presentaría un nuevo matiz en esa criatura polifacética, el matiz de la ironía que no parece colorear otros escritos suyos.

Sin adherirme del todo a él, creo conveniente destacar su originalidad no exenta de lógica, aunque difiere de su expositora en el juicio que, para apoyarlo, hace de las cartas de Delmira a Rubén, que en el mío no son tan trascendentes como ella estima.

Debo aclarar que la interpretación de Carmen Conde se hace con más elementos de juicio, o sea, teniendo a la vista esas otras cartas que Ofelia Machado no llegó a conocer: las que Delmira dirige a Rubén Darío, ya próxima a casarse con Enrique Reyes. Estas epístolas, como ya dije, sin que constituyan un modelo en su género –y todavía, cosa curiosa– un poco aniñadas, son ya ciertamente bien distintas a las enviadas al novio.

Estas cartas de Delmira a Rubén se diferencian, en efecto, de las enviadas al novio oficial, y no sólo en la calidad estilística, sino también en el ingenuo fervor que las anima. Y en cierto modo era natural que así fuera, ella admiraba al genio con toda la vehemencia de su alma también genial, de su sensibilidad exacerbada. Este sentimiento se confunde muchas veces con el amor, lo confunden los mismos que lo experimentan, pero no es tan frecuente como se imagina que ambos, amor y admiración, lleguen a fundirse en uno solo. Tan pasajera correspondencia entre el poeta y la poetisa ha dado lugar a la leyenda de que Delmira estuvo enamorada de Rubén. Quizás hubiera llegado a eso, pero sinceramente hablando, la acogida tan fría, tan parsimoniosa que el bardo, ya en sus años maduros, dispensa a su joven admiradora, no era una invitación a seguir por ese camino.

¡Brava cosa es ésta que suele acontecer a las mujeres de letras, inspirar más temor que amor en aquellos a quienes ellas hubieran querido inspirarlo!

Sobre los amores de las mujeres célebres se fantasea siempre un poco, probablemente porque su receptibilidad en este aspecto es más fina, domina y determina más en la vida y la obra de ellas que en el varón.

Así, en la vida sentimental de Delmira soltera se ha fantaseado tanto como en la de Delmira casada.

Nos dice, por ejemplo, la misma Ofelia Machado, que la poetisa tuvo su primer amor a los veinte años. Pero de algo tan importante y posiblemente decisivo como debiera ser el primer amor en una mujer de su talla, sólo nos da un nombre ridículo: Amancio d'Selliere.

Es raro que una investigadora tan cuidadosa y minuciosa en recoger datos sobre sucesos más de una vez intrascendentes, salte por encima de éste, sin pruebas ni testimonios que aducir.

Aún más; a los veinte años ya su biografiada había comenzado su idilio con el que sería su esposo, por lo que habría que presumir que lejos de enfermar, como ella pretende, a causa del rompimiento, se consoló muy pronto de sus penas. Por lo demás, y que yo sepa, Amancio no se presentó nunca a reclamar la gloria de haber sido el primero en despertar a la Bella Durmiente del bosque embrujado. La gloria y la suerte de haber salido vivo de la aventura.

Yo misma, en Cuba, tuve ocasión de conocer a uno de los presuntos romances de Delmira, hombre de letras muy celebrado en su tiempo, y testigo que fue en la boda de ella: Manuel Ugarte.

Debía andar ya por la sesentena, pero representaba mucho menos y aún conservaba algo de la buena planta que debió tener en su juventud.

A fines de los años cuarenta, me parece, había venido aquí como embajador de su país, la Argentina, y me lo presentaron en uno de los tantos cócteles diplomáticos a los que me veía en la precisión de asistir por acompañar a mi marido.

Aproveché una fugaz pausa entre un saludo a una vieja marquesa y el paso de una bandeja de martinis, para apoderarme de él y preguntarle, como quien dice, a boca de jarro, pues no había tiempo para preámbulos:

—Dígame, Embajador, ¿es cierto, como he leído, que Delmira Agustini estuvo enamorada de usted?

Me miró como si viera en mí el propio fantasma de la evocada, que se le aparecía en medio de la fiesta.

Pero recomponiéndose al punto, con habilidad verdaderamente diplomática, contestó:

—Le diré, mi señora: Delmira siempre estuvo enamorada de un hombre que no existía. Como usted ve, yo existo.

Y uniendo los talones, tras una leve inclinación de cabeza, se perdió en el remolino de testas calvas y estolas de visón.

¡Qué lejos estábamos los dos de pensar, en esa tarde frívola, que muy pronto él tampoco existiría, que ya el destino le tenía preparado un fin semejante al de la poetisa!

En mi opinión personal, Delmira fue mujer de un solo amor.

Pudo tener alguno que otro devaneo propio de la juvenil edad, en que el corazón, como el colibrí de nuestros campos, bate mucho las alas sin saber dónde posarse. Pero un sentimiento que, como tal, merezca ese nombre, no se lo inspiró nadie más que el hombre con quién se casó.

Y si eso es así, ¿por qué, pues, no escribía al novio como ella sabía escribir, sobre todo como escribía sus tremantes versos que nadie piensa fueran inspirados por él?

Si hay algo que invite a volcar en el papel los más recónditos y bellos sentimientos, es precisamente una carta de amor. He conocido algunas personas que aun sin saber nada de letras, al dirigirse al ser amado, lo hacían con un lenguaje nuevo, inusitado en ellas.

Buscando en sus biógrafos más cercanos, es decir, en los que la conocieron y trataron mucho tiempo, he hallado que es opinión unánime entre ellos que todo lo que de pasión indómita aparece en sus poemas, es puramente imaginado.

De forma que si el destinatario de las cartas pueriles no puede ser el de los poemas exaltados y no se tiene noticia seria de otro hombre en su vida, tendremos que inclinarnos a pensar que no estamos ante el caso de un doble amor, sino más bien de una doble Delmira.

Y en llegando a este punto que es ya en extremo peligroso, quiero hacer notar algo en que no sé que nadie haya reparado todavía: cuando se examinan los manuscritos y borradores de la poetisa, sorprende la enorme cantidad de enmiendas, tachaduras, borrones, entrelíneas que se observa en su escritura haciéndola casi ilegible. Requiérese realmente el ojo de un experto para descifrarla. Me dicen que era el padre el único que podía hacerlo.

Otra interrogación: ¿Por qué esto es así? Yo he tenido en la mano originales de grandes poetas, de García Lorca, por ejemplo, de Gabriela Mistral, de Julián del Casal, y tal cosa no aparece en ellos. Gabriela es la que más enmienda, pero nunca hasta ese punto. Lo corriente es que las correcciones no sean muchas, el cambio de una palabra por otra o poner la segunda encima de la primera sin tachar ninguna, como en trance de indecisión, pero siempre a modo de salpicaduras, nunca emborronando casi todo el papel.

Diríase –y esto es lo que a mí me sugiere– que en aquellos papeles –y a veces el dorso de un libro o la carátula de una revista– surcados a lo largo y ancho por los más desiguales y nerviosos trazos, se había sostenido algo así como un combate silencioso. Que la poetisa había luchado toda la noche como Jacob con el Ángel, para lograr aquella maraña a un tiempo oscura y luminosa, aquellos frutos dolorosos que ya no se sabía si eran de su sangre o la del Ángel.

Sea como fuere, a fin de cuentas una cosa hay cierta, y es que a la persona que escribe los versos nunca la hubiéramos identificado con la que escribe las cartas insulsas; que éstas lo son tanto que pudieran atribuirse a una chiquilla del montón y los versos son tales, que sólo pudo escribirlos una iluminada de las que se encerraban antes en los conventos, o una posesa de las que se llevaban a la hoguera... Ya ella misma lo dice: «Soy la vaina del rayo». Pero el rayo, ¿qué es? ¿Una sustancia celeste que se proyecta en lo alto o un arma demoníaca que mata en la tierra?

Éste es pues el gran misterio de la poesía de Delmira Agustini: un misterio que como el de su muerte, quedará siempre por desvelar.

Hubo boda. Una boda como todas las bodas. Las de entonces, quiero decir. Circulación de invitaciones, nombramiento de padrinos y testigos, éstos casi todos personalidades del mundo literario, iglesia adornada de flores y hasta reseña de los regalos recibidos por los novios, costumbre muy graciosa de la época.

He visto una fotografía de los contrayentes al regreso de la ceremonia nupcial. Se les ve rodeados de gran número de familiares y amigos, todos de rigurosa etiqueta, preciosa ella en su albo traje de desposada, él a su lado, muy envarado, muy serio.

Pero hay algo desusado en esta fotografía, algo que yo buscaba y no acertaba a encontrar, hasta que fue precisamente esa seriedad del novio la que, de pronto, me lo reveló.

Es una seriedad que parece contagiada a todos los presentes. Nadie sonríe allí. En tan fasto evento como son o deben ser las bodas, ni un solo rostro de los que aparecen refleja complacencia. Hasta la niña que lleva el ramo nupcial, puesta en primer plano, sólo muestra cansancio en su carita, y como algo de susto.

Sería el *flash* del fotógrafo.

Hay cosas raras y sin dudas ésta es una de ellas. Por lo pronto sabemos que ese matrimonio tan elegante, aureolado por la poesía y el amor, estaba destinado a durar sólo tres semanas. Y es ella misma quien lo rompe.

Que Delmira fue a él sin anteriores experiencias amorosas, lo dicen no solo sus biógrafos, sino el mismo hecho de la sorpresiva ruptura, su decisión incontrolable de poner fin del modo más abrupto a una unión precedida por años de noviazgo. Es ella quien lo hace. El novio, ya esposo, ruega, llora, amenaza, impreca inútilmente.

¿Qué extraña, inesperada desilusión, que impactó en todo su ser, pudo llevarla a una resolución tan insólita como escandalosa en su época y hasta en cualquier época?

Naturalmente, la opinión pública culpó al marido, lo cual no deja de ser una desgracia más, encima de la que ya tuvo de enamorarse de una mujer que, en alguna forma sutil y misteriosa, inasible para nuestros sentidos, era indudablemente una mujer «prohibida».

¿Y quién era él? Aquí pudiera y debiera hacer yo la defensa de Enrique Reyes Díaz, tan despreciado y acaso calumniado en su época, y la haría de buena gana y con buenos argumentos. Pero tiempo y espacio apremian siempre y hoy me impiden ofrecerle –aunque tardía– una espontánea reparación.

No obstante, considero deber mío decir que Enrique Reyes no fue en modo alguno el hombre rudo y vulgar cuyo retrato nos han legado sus contemporáneos en la exaltación y la ira del momento.

Cierto, su profesión era prosaica: traficaba con caballos; pero eso no significaba un estigma, ni aun una rareza o causa de desprecio en país tan rico en équidos como el suyo.

Ni necesariamente una profesión da la medida moral o espiritual de quien la ejerce, salvo naturalmente en el caso de que se tratara de algo deshonorable o por el contrario, de algo heroico, casos en ninguno de los cuales estaba él comprendido. Admito, sí, que no era la suya la más adecuada para aspirar a una deidad olímpica. Pero él aspiró. Tal vez desafió así la cólera de los dioses. Y no sólo aspiró, sino que, entre todos, él fue también el elegido. Y ser elegido por Delmira Agustini ya dice mucho ciertamente.

Digo elegido porque nadie se lo impuso ni tenía ella necesidad de casarse y, en trance de hacerlo, bella como era, joven, inteligente y admirada, bien pudo, de haber querido, escoger hombre más brillante.

Él no era brillante, pero la única carta que se conserva de su mano, ya en trámites de divorcio, es una de las más dignas y conmovedoras que pueda escribir en su caso un hombre desesperado.

Tal vez alguno de ustedes esté pensando que había aparecido un nuevo amor en el horizonte de la poetisa; pero de ser así esa carta no se hubiera escrito. Aparece el absurdo que resultaría de tal cosa. Un nuevo amor tuvo tiempo de presentarse en los casi seis años que llevaron de relaciones, no iba a esperar para hacerlo a que se hallaran los recién casados en lo que se dice, comúnmente, plena luna de miel.

Pero ahora viene lo más extraordinario de este extraordinario caso: Delmira no sólo no amaba a otro hombre, sino que seguía enamorada de aquél de quien se estaba divorciando.

Un año duró el proceso legal y durante todo ese tiempo, en el mayor sigilo y ocultación, los todavía esposos seguían viéndose como amantes. Puntuales, hipnotizados, como sumidos a un doloroso ensueño, acudían, sin que nada pudiera evitarlo, a sus citas de amor.

A ese efecto, él había arrendado una habitación en apartada zona citadina y personalmente la decoró con todas las cosas que a ella podían serle gratas, los cuadros pintados por ella, la alfombra que en los preparativos del casorio habían comprado juntos, sus libros favoritos, sus perfumes... Hasta las muñecas con que jugó de niña estaban allí, las conservaba en el más delicado de los homenajes, este hombre enamorado.

Es de suponer que esas extrañas citas debieron mantenerse en una especie de *crescendo,* de angustia, en un clima cada vez más tempestuoso. El divorcio tocaba a su fin y ya hablaba ella de un viaje a la Argentina. El mismo Enrique, según testimonio de sus hermanas, logró ser convencido por su íntimo amigo –y también testigo de la boda– Zorrilla San Martín, de que se trasladara a cualquier otro país, única forma que él veía de terminar de una vez con aquella locura. Cuentan Alina e Isabel Reyes que esa noche, cuando ya a muy avanzada hora ambos amigos se abrazaron en emocionada despedida, ellas pudieron retirarse tranquilas a sus habitaciones, pues al fin veían cercana la solución del gran problema.

Pero he aquí que al día siguiente aparecía otro billetito perfumado de los que solían llegar y «poner como loco» al hermano, y ya todos los sensatos propósitos de la víspera, se disiparon a modo de humo que se lleva el viento.

Y fue así como un día la noticia abatió sus alas negras por sobre toda la ciudad: la gran poetisa y su esposo habían aparecido muertos en una alcoba alquilada, cuya puerta hubo que violentar.

Él con un balazo en el pecho, ella con dos en la cabeza. El primero –¡tembló la mano!– sólo había rozado el pabellón de la oreja; el segundo destruyó instantáneamente aquel cerebro maravilloso.

En una de las gráciles flores pintadas por ella fue a incrustarse la bala que la mató.

¿Fue un asesinato o un acto de suicidio? Eso tampoco llegó a esclarecerse. Hubo diversas opiniones. Los partidarios de la primera hipótesis se atenían al informe de medicina legal basado en la posición en que ambos fueron encontrados, como si la muerte la hubiera tomado a ella por sorpresa.

Los que sustentan la teoría del doble suicidio, que es la que hoy va prevaleciendo, o sea, el pacto de realizarlo aunque el ejecutante fuera él sólo, señalan que la idea de la muerte ya danzaba en la mente de ambos y alegan como prueba la carta de Enrique dirigida a ella, que yo mencionaba antes y donde él le anuncia que la ve venir para los dos. Hay también unas breves líneas de ella que casi equivalen a un consentimiento: «Si no vamos a ser felices, es preferible que muramos juntos».

Sabemos –eso sí– que Enrique Reyes nunca pensó que fuera otro amor lo que lo separaba de su esposa. Tal vez creía que lo hacía otra fuerza tan poderosa como el amor mismo. Pero los párrafos de la carta en que parece que va a aclarar su pensamiento, están todos mutilados.

Puede que semejante idea sólo fuese producto de un ofuscado cerebro. Puede que no lo fuera. Pero en último extremo, ¿tan grave era aquello como para arrancar de sus brazos a una mujer en las primicias de su amor realizado?

¿La arrancó realmente? De ser cierto tan incomprensible designio, ¿hubiera llegado al fin propuesto?

Evidentemente, Delmira no fue presa fácil de estos manejos, si los hubo.

Entonces hay que preguntarse qué fuerzas antagónicas, igualmente poderosas, luchaban entre sí y en cuyo torbellino ella giraba buscando en vano una salida.

Hay que preguntarse qué suerte de fatalismo obraba en ellos su siniestro hechizo, atrayéndolos y separándolos, obligándolos a refugiarse en uno como escondrijo, a crearse ellos mismos una situación absurda que nadie ha podido todavía cabalmente explicar.

No era la mera atracción carnal, que estaban en condiciones de satisfacer normalmente. No era un rejuego de la imaginación, porque con la muerte no se juega y la muerte estaba presente en esas citas y lo sabían los dos.

Hay un verso inconcluso de Delmira, hallado entre sus manuscritos, donde parece filtrarse algo de la lucha en que se debatía su alma, mientras iba al encuentro de su destino:

«Envolver este horror en siete velos lilas...» Éste es pues el otro gran misterio, el misterio de la muerte de Delmira Agustini.

EPÍLOGO

Cuando en 1946 visité el Uruguay llevada por mi devoción a la poetisa y por la fascinación que en mí ejerció siempre su drama, traté de saber algo más de ella, algo más de él. Tarea infructuosa. A más de treinta años de distancia, ya habían muerto o desaparecido todos los que fueron sus amigos o, en alguna forma, testigos de sus desgracias.

Sólo algunos periódicos de aquellos días tan lejanos lograron mostrarme: en el primero que abrí, aparecía la poetisa caída de bruces en el suelo, con los rubios cabellos revueltos en la sangre. No quise ver más.

Mi antiguo amigo de ese país, don Arnaldo Pedro Parrabere, comprendiendo la situación, me prometió obtener para mí y enviármela a Cuba la copia de esas informaciones periodísticas que en el momento de enfrentarme a ellas no me sentí con valor de leer.

Don Arnaldo cumplió su promesa y a Cuba llegaron en un gran sobre; así pude ir leyéndolas poco a poco, hasta que un día, sin saber cómo, o sabiéndolo acaso, el sobre con sus contenido desapareció.

Todavía antes de salir de Montevideo, traté de ver al hermano de Delmira, que, según me dijeron, aún vivía y era el último descendiente de una familia que se extinguía con él.

No era empresa fácil, porque el buen caballero hacía vida muy retirada y sólo recibía a personas de su círculo íntimo.

Fueron los buenos oficios de Oscar Gans, embajador de Cuba a la sazón, los que lograron franquearme la entrada al vedado recinto.

Me hallé frente a un anciano de ojos apagados y manos temblorosas que ya en nada podía recordarla a ella.

Cambiados los primeros saludos, se hizo un penoso silencio entre los dos.

—¿Cómo era su hermana? —Me atreví a preguntarle—.

—Muy hermosa y muy buena —fue toda su respuesta—.

Le expliqué entonces que yo había venido de tan lejos impulsada por la ferviente admiración que sentía por ella.

—Sí, todos la admiraban, pero no evitó... No evitó que sufriera mucho.

—Sufrir es casi siempre el precio de la gloria —añadí yo—.

Y él con su voz ausente: —La gloria y el dolor fueron para ella, pero a nosotros nos quedó sólo el dolor...

Me pareció entonces que no tenía derecho a hurgar en una herida que treinta y dos años no habían cicatrizado. Me puse en pie y él hizo lo mismo, pero antes de despedirnos, adivinando acaso una sombra de desconsuelo en mi rostro, me hizo un regalo precioso: un ejemplar de la primera edición del primer libro de Delmira y el último retrato de ella, hecho poco antes de su matrimonio. En él aparece lánguida y majestuosa, con un aire de reina en exilio.

Hace ya muchos años que ese retrato está en mi biblioteca, y a pesar del tiempo transcurrido, cada vez que mis ojos se posan en él, no puedo evitar que una pregunta muda siga a los ojos, una pregunta melancólica que de antemano sé que nadie habrá de contestar:

—Delmira... ¿qué pasó?

(Casa de las Américas, 9 de diciembre)

GABRIELA Y LUCILA

L AS GENTILES DAMAS QUE EL LYCEUM ENVIÓ a mi casa hace unos días con el propósito de obtener de mi amistad el acto que hoy ofrezco, saben que su misión no fue muy fácil, y que por más de una razón me defendí –y me defendieron– de su afectuosa insistencia.

Por más de una razón: pero ahora la única que importa es la del miedo. Hablar de Gabriela Mistral es un honor pero también una aventura que mueve a la defensa, pues no es posible disponerse a hacerlo sin correr los riesgos del que escala una montaña o se adentra en una selva virgen o intenta vadear el Amazonas.

De modo que cuando las damas mensajeras habíanse al fin marchado victoriosas, yo continuaba sumida en toda suerte de vacilaciones que, una vez aceptado el compromiso, no sabía sin embargo como darle cumplimiento, ni cuál senda escoger para llegar a la Poetisa que se me hacía más que nunca inaccesible, parapetada ya tras la luz cegadora de la muerte.

Dudé por más de una semana entre la obra y la mujer hasta que comprendí que era imposible separar una de otra. En algunas poetisas, en mí misma, la poesía es lo accesorio aunque se trate de la verdadera vocación, pero en ella no era así; a su poesía estaba en modo tal unida que esa poesía le venía a ser una hermana siamesa, un ser vivo creciendo al mismo tiempo de su flanco, cuya escisión no se intentaba sin matar a las dos.

Luego la duda fue entre dos Gabrielas, o tal vez entre Gabriela y Lucila; en todo caso, entre la Gran Gabriela de la que seguirán hablando las generaciones venideras, y la Gabriela íntima o, mejor dicho, cotidiana que por circunstancias debidas al azar tuve ocasión de conocer.

Mas, sucedió con ellas lo mismo que con la obra y la poetisa, pues realmente nadie sabe dónde acabó Lucila y empezó Gabriela, ni mucho menos cuándo Gabriela, por un juego de luces o de sombras, volvía a ser Lucila. Debo confesar que en ocasión he creído que Lucila no existió nunca, y si existió, hacía mucho tiempo que Gabriela la había ya borrado, la había aplastado sobre su valle andino; no obstante ello, he querido llamar Lucila a la criatura humana con quien conversé algunas veces en el jardín de mi casa. No podría sinceramente soslayarla a ella, haber vivido junto a ella y olvidarlo.

Creo que así también mi intervención en estas páginas tiene algún sentido: de la otra Gabriela ya se han ocupado, con tanto acierto como justicia, las más autorizadas plumas, en tanto que de esta Lucila jugueteando con un perrillo o tomando su té en el desayuno, somos pocos los que podemos hablar.

No se crea por ello que Lucila dejaba de ser también Gabriela cuando descendía a estas menudencias del vivir diario: nada de eso, señores que me escuchan. Aunque a veces retrocediese a la Lucila añeja, Gabriela era Gabriela siempre, hasta en esa hora neutra, recién salida del sueño, en que parecemos todos tan poca cosa; ella tenía el don de mantener su personalidad en todo tiempo y todo espacio.

Cabe añadir también que la mantenía sin propósito, sin el menor esfuerzo por su parte, pues si a algunas criaturas de Dios vi vivir a sus anchas fue a la insigne chilena.

Cuando doblara el cabo de los cuarenta años, que no es por cierto el de la Buena-Esperanza, Gabriela había frenado muchas cosas en las socavaduras de su pecho, y sin duda pensó que era llegada ya la hora de no imponerse más disciplinas.

Pulcra por instinto, no lo hubiera sido por otra cosa. Curada de los grandes sacrificios, era incapaz después del más pequeño. Ajena a toda pose, igual que a todo artificio –empezando por los formulismos sociales que la tenían sin cuidado y sin los cuales es muy cómodo vivir–, Gabriela Mistral jamás se preocupó de ser o parecer otra cosa que no fuese ella misma, y sin creerse perfecta, tampoco la tentó el menor interés de perfección.

Ella le nace estatua al bloque y es ocioso pensar en pulimentos; para no hablar ahora más que de su manejo del idioma, puede decirse que es ya de mano maestra desde que empieza a escribir.

Esto constituye precisamente una de las singularidades de su caso: todos los escritores –y más que todos, los poetas– tienen un período de formación, una etapa siquiera de balbuceo, de tanteo, en que aun dejando presentir el buen árbol futuro, no hay todavía árbol ni escritor.

Con Gabriela no cuenta la regla; este árbol brota de la tierra ya con ramas y frutos, y hasta con su nimbo de pájaros que le hacen música propia.

Milagro igual no ocurre ni aun con Rubén Darío, y la reciente edición completa de sus obras así nos lo deja ver. Nuestro Martí es acaso el que se manifiesta con mayor madurez desde su inicio, pero fuerza es reconocer que nunca como su digna hermana del Altiplano.

Porque verdaderamente en ella no hay transición ni comienzos de nebulosa: la maestrica del valle de Elqui es la misma escritora consagrada que recibe el Premio Nobel ante el júbilo de un continente. Sus ojos son los mismos, distantes y enigmáticos, su expresión la de siempre, inexperta, y su traje igualmente mal cortado.

Tampoco ha cambiado lo que escribe: su último libro no es mejor que el primero, ni más profundo, ni más puesto en sazón. Por el contrario, muchos siguen pensando que aquél será siempre su obra maestra, y todavía América no ha agradecido bastante a Federico de Onís el don que recibiera de su mano con la publicación de tal primicia.

Sus libros se suceden con intervalos de años y lo único que al paso de ellos se percibe en sus páginas será acaso una más decidida vocación a lo ascético, a descarnar el verso hasta dejarlo, como quien dice, en alma viva.

Fuera de eso cabe afirmar que no hay sensibles mutaciones en su órbita estelar, y los *Sonetos de la Muerte* con que se revela a los cenáculos de Santiago, bien pudieran ser los que cuarenta años más tarde nos dejara sin concluir en su bagaje de mujer errante.

Se ha dicho que en los últimos tiempos aborrecía sus obras iniciales, en particular aquéllas que le dieron gloria, como «El Ruego». Esta es ingratitud de muchos genios y no es extraño que fuese el suyo un caso más. A ella personalmente no se lo oí nunca, aunque tal vez lo que le molestara fuese el manoseo que se ha hecho después de un poema tan íntimo.

Otra cosa de la cual se ha hablado mucho es del autodidactismo de Gabriela; siempre se hizo necesario explicar de alguna forma porque ella era *ya como era cuando se le descubrió en su escuelita campesina.*

Aprovechando la coyuntura de tenerla cerca se lo pregunté una vez, y aunque a la verdad yo casi no me atrevía a preguntarle nada, ni aun por esa vez única me quiso ella contestar. Se limitó a sonreír con unas de esas sonrisas suyas que de pronto la hacían tan bonita.

Recuerdo ahora aquel modo que tenía de sonreír imprevistamente y que yo no he hallado en ninguna otra persona.

He dicho imprevistamente, y así era en efecto porque cuando alguien va a sonreír, se le adivina.

A Gabriela, no. Su sonrisa era un don inesperado en ella, habitualmente grave, ensimismada, casi hierática.

Era tal vez la pequeña sonrisa de Lucila, la pequeña resurrección de Lucila en el domingo triste de su rostro.

Pero volviendo a lo que me llevó a la digresión, diré que nadie ha acertado a explicarnos satisfactoriamente cómo y en qué tiempo pudo estudiar, hacerse de conocimientos que suman no ya muchos libros sino muchas vidas, aquella joven maestra de párvulos que tenía tantas responsabilidades que atender en su casa y en la ajena.

Eso será siempre un misterio, pese a la búsqueda de explicaciones, y ante lo vago que resulta todo, casi nos inclinamos a admitir que una oscura sabiduría de siglos se traspasó a su sangre, como la aptitud de nadar a las aves acuáticas antes de conocer que existe el agua.

En Gabriela pervivían muchos ancestros y ella lo sabía. Lo sabía y no hacía nada por liberarse de tal rémora, que acabó por volverla casi una extraña entre los suyos.

Las pasiones de más de una raza atormentada —por de pronto la india, la judía— le resollaban en el verso y hasta en la misma palabra cotidiana. Esta carga de vidas y de muertes ajenas alcanzaba a veces resonancias extrahumanas para un oído fino, y era entonces como un jadeo de antiguas bestias extinguidas por la maldad del hombre.

Un tropel de bisontes y de llamas, una furia de arponados cetáceos estremecen sus broncos eneasílabos, y eco de ese jadeo agónico es ciertamente el sustantivo áspero que le saca a la lengua, la sintaxis desgarrada y los vocablos primitivos, candentes que le desentierra como de entre la lava de un volcán.

El verso de Gabriela es tal vez el único que tiene intimidad geológica, biológica, verdadera comunión con el Cosmos.

Ya la Poetisa había estado más de una vez en Cuba y yo no la conocía. Esta demora en brindarle mis sentimientos, habría de reprochármela ella en distintas ocasiones llamándome orgullosa, creo en verdad que injustamente.

Con Gabriela en La Habana sucedía lo mismo que con Juan Ramón Jiménez, y ambos me juzgaron con error. Una cosa era cierta y es que tupida nube de admiradores los cercaba de continuo en forma tal que para acercarse a sus personas era preciso también fundirse en ella.

A mí no me parecía mal que los jóvenes se condujeran de esta suerte, pero ya yo no estaba tan joven como para imitarlos. En consecuencia, decidí aguardar una más propicia ocasión de conocer a la mujer por quien sentía, desde que leí sus primeros versos, la más fervorosa admiración.

Ésta se presentó en tierra de cipreses; contrariamente a sus suposiciones, hacía yo el viaje de Niza a Portofino sólo por el privilegio de estrechar su mano, y aun no segura de estrecharla. Y así fue como en los alrededores de ese pueblecito italiano de nombre tan gracioso, tuvo lugar nuestro primer encuentro.

Ahora me parece recordar que más propiamente fue en Rapallo, que está muy cerca de Portofino; tal vez la eufonía de este último nombre contribuyó a que él fuera el que se me quedase prendido del oído.

De todos modos, fue en la curva que hace la península cuando desciende al Mar Tirreno: allí estaba la villa perdida entre los árboles y a la sazón en calma. Gabriela convalecía de reciente enfermedad, y a pesar de eso recuerdo que lo primero que llamó mi atención fueron el rosa de su tez y el verde claro de sus ojos.

Me la había imaginado morena, curtida por el viento de la cordillera y, en fin, medio india como ella misma se complacía en repetir, y estoy por decir que aquel colorido propio del pincel de Reynolds casi me decepcionó.

No era, sin embargo más que el colorido; sin hablar de su corazón, que era el menos europeo que he tenido cerca —su entusiasmo por Italia fue intrascendente y pasajero—, ya allí mismo le vi la piel apitonada por los duros pómulos y el ojo verde que se rasgaba oblicuo hacia las sienes y hasta su voz llegando a mis oídos sin matices, como silbada por las antiguas quenas araucanas.

Habíamos ido mi esposo y yo en compañía de otro matrimonio amigo, Aida Cuéllar y Osvaldo Valdés de la Paz; ambos han

175

escrito con gracia y precisión sobre aquella visita deleitosa y realmente casi no hubiera sido necesario que yo añadiera nada a su relato.

Diré, sin embargo, que he evocado muchas veces ese día como uno de los más felices de mi vida, y creo que también lo fue para ella. Nunca más volví a verla como entonces, gentil, amable, joven, casi ingenua.

La evocación que hizo de Cuba, la lectura de la poesía o ronda de las palmas, humedeció los ojos de los cuatro que allí la oíamos embelesados. Luego nos mostró los originales de *Lagar,* me dio a escoger entre ellos el poema que deseaba dedicarme, nos regaló de frutas y de flores y, llegada ya la hora de la cena sin resolverse a dejarnos marchar, nos sorprendió con el condumio de familia que había hecho preparar para nosotros en una de esas típicas ventas italianas que cuelgan como nidos de gaviotas por los acantilados de la costa.

Era en el mes de julio y la campiña toscana olía a enebro, a flores silvestres, a eras recién trilladas; abiertas estaban todas las ventanas y de cada una de ellas surtía una canción. En la pequeña rada entre dos pinos, cabeceaban las barquillas pescadoras que el plenilunio convertía en bajeles de plata.

¡Qué hermosa fue la cena a la orilla del mar, en compañía de Gabriela niña, Gabriela humanizada, alborozada, dulcísima!

Tal vez su fiel amiga Doris Dana, que también nos acompañaba esa noche, la recuerda ahora como yo la recuerdo, porque es probable que no viera más otra Gabriela semejante.

Y es que aquel encuentro no fue con Gabriela sino con Lucila. Con Lucila escapada de su corro de niñas compañeras, evadida por un instante de su canto que ya empezaba a empinarse sobre las mismas crestas de los Andes.

Acerca de Lucila existe una poesía muy bonita y acaso es tiempo de leerla ahora. Ella me dijo un día que entre las suyas era una de las que más amaba.

Cierta similitud de ambiente, cierta gracia musical rara en Gabriela, me traen cuando la digo el recuerdo de Annabel Lee en las estrofas de Edgar Poe.

Todas íbamos a ser Reinas
de cuatro reinos sobre el mar:
Rosalía con Efigenia
y Lucila con Soledad.

En el valle de Elqui, ceñido
de cien montañas o de más,
que como ofrendas o tributos
arden en rojo o azafrán.

Lo decíamos embriagadas,
y lo tuvimos por verdad
que seríamos todas reinas
y llegaríamos al mar.

Con las trenzas de los siete años,
y batas claras de percal,
persiguiendo tordos huidos
en la sombra del higueral,
de los cuatro reinos decíamos
—indudables como el Korán—
que por grandes y por cables
alcanzarían hasta el mar.

Cuatro esposos desposarían
por el tiempo de desposar,
y eran reyes y cantadores
como David, rey de Judá.

Y de ser grandes nuestros reinos,
ellos tendrían, sin faltar,
mares verdes, mares de algas,
y el ave loca del faisán.

Y de tener todos los frutos,
árbol de leche, árbol del pan,
el guayacán no cortaríamos
ni morderíamos metal.

Todas íbamos a ser reinas,
y de verídico reinar;
pero ninguna ha sido reina
ni en Arauco ni en Copán.

Rosalía besó marino
ya desposado con el mar,
y al besador en las Gaitecas
se la comió la tempestad.

Soledad crió siete hermanos
y su sangre dejó en el pan,

y sus ojos quedaron negros
de no haber visto nunca el mar.

En las viñas de Montegrande
con su puro seno candeal,
mece los hijos de otras reinas
y los suyos no mecerá.

Efigenia cruzó extranjero
por las rutas, y sin hablar,
le siguió, sin saberle nombre
porque el hombre parece el mar.

Y Lucila que hablaba a río,
a montaña y cañaveral,
en las lunas de la locura
recibió reino de verdad.

En las nubes contó diez hijos
y en los salares su reinar,
en los ríos ha visto esposos
y su manto en la tempestad.

Pero en el valle de Elqui, donde
son cien montañas o son más,
cantan las otras que vinieron
y las que vengan cantarán:
«En la tierra seremos reinas,
y de verídico reinar,
y siendo grandes nuestros reinos,
llegaremos todas al mar».

Un día, hablando de estos versos, dije en broma a su autora que en Chile era muy fácil tener un reino que llegara al mar.

Aludía naturalmente a la forma que tiene aquel país, largo y estrecho como ningún otro, comprimido entre la Cordillera y el Pacífico.

Impermeable a todo humorismo, Gabriela, que miraba como siempre un punto lejano, volvió entonces sus ojos a mis ojos diciéndome:

—Chiquita, nunca es fácil tener reinos...

Y la mirada se le perdió de nuevo en lejanías, donde ya no me fue posible alcanzarla.

Era firme y reconcentrada en sus sentimientos. Atesoraba con fruición amistades, experiencias, ternura y también antipatías y rencores.

Esa inflexibilidad de su carácter, ese clavarse enhiesta en todo suelo, a semejanza de su propia tierra recta como una lanza y vertical, me hizo escribir un día sobre ella que ni aun para morir querría tenderse.

Erré en el vaticinio porque Gabriela tuvo un morir lento, y por largas semanas yació en el lecho rotos sus resortes, por vez primera doblegada, flexa.

Y pienso si tal vez sería Lucila la que muriera en lecho extraño entonces, la que ovillándose como infante nonato, se durmió de nuevo en el tibio vientre de la sombra.

Lucila Godoy y Alcarraga, muerta hace tanto tiempo, y vuelta a morir el 10 de enero de 1957.

Nuestro segundo encuentro fue ya en Cuba y Gabriela era otra vez como siempre.

Creí notar cuando la saludaba en la cubierta del feliz barco que nos la traía, cierta sombra en su rostro, como si el rosicler de sus mejillas se hubiese levemente resecado.

Hacía ella el viaje para asistir a las festividades con que se celebraba el Centenario del Apóstol, y aceptando nuestra invitación, nos dispensó el honor de hospedarse en nuestra casa.

En ella vivió, pues, sus días de Cuba que no recuerdo cuántos fueron, pero sí que pasaron de una luna.

No diré que esta estancia me permitió conocer plenamente a la Poetisa, pues creo que en el mundo nadie puede jactarse de tal cosa, ni siquiera las que fueron sus devotas, constantes seguidoras; pero sí creo que esta breve convivencia me permitió al menos confrontar imágenes, discernir entre las muchas que han circulado como auténticas, cuáles se ajustaban o no al original.

He dicho imágenes y tal vez ni aun eso: más bien pasajes sueltos de su vida, aunque no falte entre ellos la imagen misma, o por mejor decir la criatura, la presencia vital que les daba luz, perspectiva, movimiento.

De esos pasajes vale la pena entresacar hoy el que fue decisivo en su existencia: hablo naturalmente de la tragedia amorosa que inspiró el libro *Desolación*.

Como se sabe, el hombre amado por Gabriela cuando ésta era Lucila, se suicidó por causas que permanecen, al cabo de medio siglo, todavía en el misterio.

La creencia más general achaca esta muerte a conflictos de amor, más no precisamente al amor de la Poetisa. Se sabe, y ella así lo da a entender en sus versos, que el amado le fue infiel, presumiblemente con una cortesana, y uniendo luego el pecado con el castigo, deducen muchos que aquél fue el fin natural de un hombre que abandona a la novia dulce y buena –no otra que Lucila– por seguir las turbulencias de una pasión insana.

Aun puesta en el lugar de la inocente prometida, me ha parecido siempre que nuestra amiga no salía muy airosa de su propio drama. Debe ser terrible para una mujer que por ella el ser amado se sienta empujado a la muerte, pero más terrible aún resulta que sea otra quien lo empuje.

Se necesita, pues, todo el talento, toda la sensibilidad y hasta todo el coraje de una Gabriela Mistral para no quedar francamente cubierta una de ridículo en tan triste aventura.

Aceptando que las cosas fueron así, pues, como he dicho, la apuntada constituye la tesis más corriente, hay que aceptar también que la Poetisa, como oro puro que es, resistió esta prueba del fuego, y no sólo salió indemne de ella, sino también nimbada de dignidad y gloria.

Esto conviene recordarlo para que veamos más adelante cómo para la protagonista no era necesario, por un simple prurito de amor propio impropio de ella, rechazar tal hipótesis.

Otros suponen más prosaicamente que el suicidio se debió a deudas contraídas por el atolondrado mancebo, y no falta quien asegure –y así se lo escuchamos en conferencia pública a un coterráneo de Gabriela– que el hombre que se suicidó y al cual está dedicando el famoso libro, no había tenido con su autora más relación que el intercambio de unas cuantas tarjetas postales.

Esta última suposición sí me parece inaceptable, bien que tampoco perjudica a quien sigue siendo la heroína de aquella página de Esquilo. Si Gabriela Mistral fue capaz de crearse ella sola un mundo para ella sola, y un mundo tan patético y hermoso como el que descubríamos en *Desolación*, Gabriela ha hecho más que hacer un libro, Gabriela se ha robado sin quemarse el fuego de los dioses.

Pero ninguna de las tres versiones se ajusta a la verdad si hemos de creer a quien vivió tal muerte. He aquí la historia del suceso, tal como la escuché en sus labios:

Ella era, sí, la novia, pero la otra lo era también, o mejor dicho, lo fue después. No se trata por tanto de ninguna mujer perdida, sino más bien hallada.

Hallada en mal hora, justamente cuando la madre de Gabriela ponía brusco fin a las relaciones de su hija sin explicar mucho las causas, o al menos sin que Gabriela me las explicara a mí. Mas, lo importante es que el noviazgo se deshizo, aunque se haga arduo creer que una vez hubo en el mundo alguien más fuerte, más duro, más dominador que Gabriela Mistral, hasta el punto de imponerle su voluntad: a lo que se ve, sólo su madre.

Rotas las relaciones, el galán, por ligereza o por despecho, busca nuevos amores y es entonces cuando surge la «otra», la de los versos terribles cuya causticidad se disfraza con el nombre de balada...

Él pasó con otra,
yo le vi pasar.
Siempre dulce el viento
y el camino en paz...
¡Y estos ojos míseros
lo vieron pasar...!
Él va amando a otra
por la tierra en flor.

Ha abierto el espino;
suena una canción.
Y él va amando a otra
por la tierra en flor.

Él besó a la otra
a orillas del mar;
resbaló en la olas
la luna de azahar.

Habrá cielos dulces
(Dios quiere callar)
¡Y él irá con otra
por la Eternidad!

Incapaz de resistir la cercanía de esa «otra», ella se traslada entonces a un pueblo más distante desde el cual tenía sin embargo que venir todos los días a su aula realizando una pequeña travesía en barco.

En este barco —nos contaba la Poetisa con voz por vez primera algo quebrada— él me esperaba siempre con las mismas palabras de antes, con las mismas locuras de antes... Yo, que lo sabía en relaciones con la «otra», no quería escucharlo, pero la tentación era terrible...

Una mañana, la maestrilla encontró en su mesa de trabajo una leve y aleve cartulina con filetes dorados: era una invitación de boda, y la boda era la de él, la de él con la rival definitivamente triunfadora. Aquel día el pequeño barco debió estremecerse hasta sus cuadernas bajo la cólera de Gabriela burlada, humillada, maravillosamente celosa.

Al cabo de los años, ella recuerda en el penoso recuento que lo único que él decía, el solo escudo en que se abroquelaba, eran estas palabras:

—No me casaré con ella... Te juró que no me casaré con ella.

Muy tarde ya para la compunción, y la que era todavía Lucila no volvió más al barco. Prefería perder su empleo, su vivir, cualquier cosa, y en efecto, lo perdió a él, aunque no ciertamente del modo que esperaba: quince días después y la víspera del señalado para contraer matrimonio, aquel hombre que debió ser en verdad extraño, puso fin a su vida de un pistoletazo, «trizándose las sienes como vasos sutiles...».

¡Qué ajeno estaba él, y la misma Lucila, a que ése sería el precio de su gloria! No los compadezcamos demasiado, ya que muerte de tal rango sirvió para inspirar quizás el libro lírico, más hermoso del mundo.

Fue hace más de siete lustros: corrían los tiempos en que otra gran poetisa, la uruguaya Juana de Ibarbourou se alzaba al modo de una diosa griega sobre un plinto de versos cincelados en el más puro mármol del Pentélico.

Espléndida, sensual, coronada de mirtos, las gentes se arrobaban con su canto que era también un canto nunca oído, una estrenada melodía en la flauta de Pan.

Lenguas de Diamante se publica en 1920; *Desolación* en 1922. Júzguese ahora el impacto que tuvo que producir, al lado de aquel lirismo fresco y semipagano, esta poesía austera, recia, salitrosa, quemante...

Thamar frente a la Sulamita, Noemí junto a las rosas de Sarón...

En casa, Gabriela escogió pronto su rincón favorito. En el jardín junto a la fuente solía pasar largas horas, al menos todas las que le dejaba libres el tumulto de sus admiradores.

Allí sorbía lentamente taza de té tras taza, y en tal número que nunca me fue dado contarlas. Era lo único que tomaba con gusto pues apenas probaba bocado y puedo decir que resultaba insensible para los platos más exquisitos que en vano le hacíamos preparar.

En cierta ocasión, deseosa de agradecer nuestro desvelo, se animó a decir:

—Está excelente este pescado...

Y no era pescado lo que estaba comiendo, sino pollo.

Con frecuencia insistía en que no escribiese en prosa, ella que tan divinas prosas nos dejara.

—¿Qué voy a hacer si el verso no desciende hasta mi? —decía yo. Y ella me contestaba:

—Pues subir a buscarlo, mi chiquita...

Desgraciadamente para mí, no coincidíamos en muchas cosas.

Gabriela prescindía de un montón de minucias que en mi vida han sido ley y servidumbre y de las cuales no osaría jamás emanciparme. Por otra parte, ella vivía sólo en función de la Poesía, y a cambio es un milagro que aún la Poesía viva en mí.

Sólo la reverencia que con todo derecho me inspiraba pudo más de una vez armonizar mi vocación de Marta con la suya de María.

Aquel rincón junto a la fuente escondido entre todos se lo respetaba siempre, y no iba a su encuentro a menos que ella misma me llamase.

Entonces nos sentábamos juntas y conversábamos o, por mejor decir, conversaba ella, tomaba el hilo de la conservación que devenía con frecuencia en monólogo, porque mi amiga era más conversadora que yo, tenía también más cosas que decir.

Tomaba pues el hilo de la conversación como ya he dicho, y luego sólo se entretejía en el hilo de agua de la fuente.

No siempre hablábamos de poesía, pero en una ocasión en que ese era el tema, dijo Gabriela:

—Nuestro padre el Dante...

No es un misterio para nadie que la Poetisa profesaba pocas simpatías a los españoles: en presencia de ellos volvía al punto por los fueros de Cuauthemoc o de Atahualpa. Ahora me parece infantil que algunos traten de ignorarlo.

Pues bien, dijo Gabriela:

—Vd. sabrá que nuestro padre el Dante...

Me atreví a interrumpirla porque aquello me parecía demasiado. Tímidamente deslicé:

—Yo creía que nuestro padre era Cervantes...

Los ojos verdes me miraron fijos mientras sus labios me espetaban esta pregunta:

—Y entonces, ¿quién cree Vd. que era el Dante, chiquita mía?

Tragué saliva pero respondí:

—Pues será nuestro abuelo en todo caso...

Fue una de las pocas veces que me gané con buenas armas su luminosa y casi milagrosa sonrisa.

Otra vez, fuimos a la librería. Gabriela quería comprar libros, pero su joven secretaria —que tenía otros planes para el día— me advirtió que la Poetisa se negaba desde hacía años a tocar dinero alguno.

Era por tanto yo la que tendría que entenderme con los pagos y a ese efecto puso en mis manos un billete de cien pesos.

La cosa se me hacía un poco cuesta arriba porque si habría yo de pagar, me parecía más delicado hacerlo con mi bolsa.

Pero la secretaria me arguyó que no estaba bien consentir en ello sin consultarlo con la interesada y era seguro que, al hacerlo, Gabriela desistiría de su ilusionado proyecto.

Acepté pues mi papel de pagadora, no sin pensar si me sería lícito alegar también la misma repugnancia ante el contacto de los dólares.

Gabriela gastó aquello y mucho más, sin preguntar lo que gastaba. Y después para asombro mío pude comprobar que no había comprado un solo volumen de Poesía: alguno que otro de Filosofía, pero casi todos eran libros científicos, tratados de Mineralogía y de Botánica, teorías sobre el átomo y hasta una monografía llena de láminas preciosas, sobre los peces tropicales.

El caso de Yin-Yin tuvo también, en la palabra de su madre, perfil distinto del que se le da comúnmente.

Y he dicho madre aquí con intención y justicia, pues no sólo trayendo al mundo un ser puede alcanzarse tan sagrado título.

Yin-Yin era, como todos saben, hijo de un hermano semifabuloso de la Poetisa, que se lo trajo cuando aquél era tan sólo un tierno infante. Dejarlo al fraternal rescoldo y desaparecer fue todo uno.

Juzguen Vds. la emoción de esta mujer ávida de maternidad, hambrienta de su ternura, que sólo a ella parecía vedada, cuando de pronto se sorprende con un chiquillo que le cae del cielo allí en sus mismos brazos.

Lo crió y educó amorosamente; era la única criatura suya en el mundo, y ella aceptó la soledad si entre su escarcha podía florecerle el viejo sueño.

Pero he aquí que la misma tragedia que ensombreciera sus sueños juveniles, la acechaba otra vez en el crepúsculo de su existencia. Pronto habría de salirle al paso, le hincaría de nuevo los colmillos como si se hubiese aficionado al sabor de su sangre.

Era Yin-Yin, en el decir de la Poetisa, dócil de índole, despejado de habla, sensible, inteligente; era también vivo y alegre como un cervatillo.

Cumplía ya sus quince años, y aquella Nochebuena quiso ir a una fiesta de compañeros de colegio.

Fue su primera y última fiesta porque Yin-Yin murió esa misma noche envenenado.

Los anales policíacos registraron el caso como suicidio, y el mundo entero se estremeció al conocer el triste fin del niño amado por Gabriela: otro suicidio en su vida, otro perder de igual manera la criatura de su corazón.

Sin embargo, esta vez ella se resistió a admitir que voluntariamente había sido de nuevo abandonada, reclavada en la misma cruz.

Sostuvo siempre, hasta el final –y no a mí sola– que el niño aquel le había sido asesinado, aunque nunca nos dio explicación cumplida de tan inconcebible crimen.

Coincidiendo casi con tan gran desgracia, le fue otorgado a la Poetisa el Premio Nobel. No sería la única vez que para un latino el preciado galardón se hiciese acompañar de un aletazo de la Fatalidad. A poco habrá que alegrarse de que nos lo regateen tanto.

Por cierto que la egregia chilena, con esa modestia que en ella era genuina y no imposición de normas urbanas, solía decir que aquel honor le había sido conferido sólo por transacción, o sea, que debiendo ese año recaer en América el gran premio y disputándoselo al mismo tiempo dos figuras brillantes de la Argentina y México, se lo dieron a ella, que no había terciado en la contienda.

No parece probable que los acontecimientos se sucedieran en esta forma: más que Gabriela Mistral, nadie merecía el lauro, y si alguna vez se hizo justicia en su otorgamiento, sin duda ha sido entonces.

Fue así como por esta, su preclara hija, la noble patria de Lautaro pudo hacer suyo un alto privilegio: después de ser, entre las americanas tierras, la última en ceder a los centauros de España, era también las primera en devolverle el idioma ceñido por el laurel cimero.

La muerte de Yin-Yin fue un golpe del que nunca se repuso Gabriela y no es absurdo admitir que repercutiera en aquel cerebro máximo. ¿Pero quién es capaz de desentrañar los extraños caminos del cerebro? Menos aún del suyo, que se producía siempre de modo excepcional.

Se ha dicho que en los últimos tiempos estaba ella un poco ausente, como desarraigada de su medio.

Esto era así hasta cierto punto: después ya no lo era. De su memoria podían desvanecerse, como decía, nombre y caras, citas y compromisos, y hasta el año en que vivía. Pero jamás se le pasó por alto una palabra mal empleada, un error en la cita de un autor, un punto y coma en su poesía.

En ocasión de aquella conferencia inolvidable que hubo de pronunciar en el Ateneo de la Habana, consciente de que su voz no era la más indicada para ello, me pidió que fuese yo quien leyera los versos que habrían de ilustrar la disertación.

No se me ocultaba lo difícil que es leer en voz alta un poema de Gabriela Mistral, y que aún lo sería más en su presencia. Por tanto, contra mi costumbre, me propuse ensayar previamente la lectura, y como es natural, ante la autora, pues era ella quien debería hacerme las indicaciones que estimara oportunas.

Pues bien, leía yo ante una Gabriela entredormida, bajo los párpados, inmóviles los músculos del rostro. Pero bastaba el salto de una coma, el titubeo en un acento, o simplemente que la inflexión no fuese la esperada por ella, para verla ya incorporada en el asiento, atajándome el verso con mano tan ligera como firme.

De modo que no me faltó razón para pensar que la Poetisa se olvidaba de aquello que no le interesaba, y como le interesaban pocas cosas, los demás la creían ausente. Pero en lo suyo estaba tan presente como yo estoy ahora ante ustedes, amigos míos.

En mi jardín, el hilo de agua de la fuente corre todavía, pero ya la voz de Gabriela se apagó para siempre.

Cual dos fotografías superpuestas y por tanto borrosas, yo sigo viendo allí a las dos mujeres, Gabriela y Lucila, confundiendo sus rasgos, sus acentos, sus gestos y sus sangres.

Fue en ese mismo rincón, uno de los últimos que aún queda verde en nuestro Vedado, donde una tarde me enteré de algo que creo han de saber muy pocas gentes en el mundo.

Mientras ella vivió no lo dije a nadie; la más elemental delicadeza movía a ello, bien que no me había comprometido al silencio. Pero ya ahora me parece que no hay razón para ocultarlo, antes bien, entiendo yo que si Gabriela pertenece a la Posteridad, la Posteridad tiene derecho a conocer cuanto se relacione con su criatura.

Contaré así que, en una de esas conversaciones o monólogos suyos −porque solía hablar sin poner los ojos en su interlocutor, como si no se dirigiera a él−, le oí decir con el consiguiente asombro que el novio aquel que le fuera doblemente arrebatado, no había sido en verdad su único amor.

Muchos años después, cuando Lucila era ya Gabriela, y su libro famoso en el mundo, surgió otro hombre en su vida al que amó intensamente y también desdichadamente.

Estaba ella en la treintena, que es cuando las pasiones alcanzan plenitud en nuestro pecho; pero estaba además en su camino, en el que era ya su verdadero rumbo. Y el hombre no la dejaba andar, no la quería allí, tenía celos del glorioso destino de su amada.

Aquello había que acabarlo, y Gabriela lo acabó. Esta vez fue ella misma con sus manos quien rompió el nudo que pretendía nada menos que amordazar el canto de los pájaros, el bramar del torrente. Bien roto estuvo pues... Dios se lo pague.

—Por eso —me decía al final de su historia— no he regresado a Chile. Él vive todavía, y aunque ya pasó nuestra hora, no quiero que me vuelva a ver viva...

Ese hombre cuyo nombre se llevó la Poetisa a la tumba, ¿la vería al fin muerta?

¿Se atrevería a allegarse, como un desconocido, como un número más en la fila, hasta la gran mujer yacente que lo amara un día?

Y si lo hizo... ¿Qué sentiría él, ante aquellos labios que intentara osado sellar con vanos besos, ahora ya sellados por la Muerte?

¿Qué pensaría de esos funerales dignos de una reina que la Nación puesta a su altura le rendía, de la lluvia de flores y de himnos, de las campanas redoblando y las banderas a mitad de asta?

He aquí un rosario de preguntas sin posible respuesta ya en el mundo.

Bien sé que a muchos costará trabajo aceptar que la mujer que escribió «El Ruego» haya podido siquiera a pensar en consolarse con otros amores. Y lo comprendo: yo tampoco lo hubiera creído de no escucharlo de su propia boca.

Es más, Gabriela misma se negaba, se negó ya entonces a ser juguete en manos del azar o simplemente sierva de su carne: Gabriela no admitió esa realidad, se revolvió contra ella, y me inclino a creer que, más que el veto impuesto a su misión, pesó en el rompimiento su gran escrúpulo de traicionar no ya al muerto, sino a su propio destino, a su dolor y hasta a su libro.

Ahora, Gabriela, aunque ya no estemos en el jardín de casa, necesito decirte algo: no creas que voy a referirme a nuestro último malentendido, que me doliera tanto como a ti. Eso no cuenta ahora y además lo tengo ya olvidado, tú lo sabes.

Lo que quiero decirte, amiga mía, es que hubo una cosa muy importante en la cual te equivocaste.

Te equivocaste y acertó Lucila, que no tenía tu sabiduría y sólo era dulce y sencilla como miel agreste.

Y hoy te digo, Gabriela, que acertó porque tú has tenido al fin un hermoso reino, más vasto y más seguro que el de muchos monarcas cuyos nombres pasaron a la Historia.

No lo tendrán las Rosalías ni las Efigenias, porque, como decías seriamente, no es fácil hacerse de ellos; lo que el tuyo costó no importa ya saberlo.

A reina pues, llegaste, como en los juegos de tu infancia: faisanes de oro y árboles de leche te contemplan ahora, alta más que las cien montañas de tu valle.

Y ya lo ves, esposo no tuviste, pero reino cabal estamos ciertos de que no te fue negado.

Creo que tú también lo supiste, pero luego; al menos en el instante de tu tránsito, y de ahí que tus labios pronunciaron esa palabra, «triunfo», que a todos ha parecido tan extraña.

No a mí, hoy te lo digo, pues aun conociendo tu gran desasimiento de las cosas, he recordado siempre que al fin Lucila lo soñara un día.

Era tu triunfo, Gabriela, era tu reino el que veías con los ojos cerrados: tu Reino que había crecido y era ya tan grande que llegó al mar y lo pasó y es Reino de todas las regiones de la tierra.

(La Habana, 28 de febrero de 1957)

EL ÚLTIMO ROSARIO DE LA REINA

N O ES FÁCIL HABLAR DE ISABEL LA CATÓLICA, aun apoyándose
para hacerlo en acuciados estudios y disponiendo como de
patrimonio propio, del tiempo y del talento necesarios que requiere su adecuada asimilación.

No es fácil hablar de Isabel la Católica, ni aun para quien pueda contar como suyos, tiempo, erudición y talento; menos por
tanto habrá de serlo para quien sólo tiene, a cambio de esos bienes, sentido de responsabilidad.

Así pues, aunque parezca obvio, yo debo aclarar desde ahora
que en modo alguno me he propuesto presentar con este escorzo
un perfecto retrato de la Reina, ni su minuciosa exégesis, ni tampoco una banal exaltación.

Voy hablar de Isabel la Católica ateniéndome más al espíritu
que a la letra, como quería San Pablo, aunque desde luego sin dejar de respetar por eso la letra misma, pues si alguien tiene que respetar la letra soy yo. Pero quiero decirles que voy a hablar de Isabel, la inmensa reina, sujetándola únicamente por un hilo, con
riesgo de que tal hilo se me rompa si tiro mucho de él o si no
acierto a traspasarle, como bien quisiera, calor de sangre y alma.
Este hilo no lo he sacado de su manto real tejido en oro, ni de sus
tiendas de campañas incendiadas junto a los muros granadinos, y

ni siquiera del pequeño copo de lana que en su rueca hogareña suministraba las precisas hebras para hacer las camisas del esposo...

Este hilo que es dorado también, como lo eran los de la trama de su manto, encendido como encendidos fueron los del Real y de Santa Fe y fino más que el desovillado entre sus dedos hacendosos, es sin embargo un hilo mío, porque es el hilo de la Poesía.

Con él nada más me atrevo a hablar de la gran rectora de muchedumbres, y aunque mis palabras no salgan encuadradas en hexámetros o endecasílabos, a cuenta de la Poesía habrá que cargarlas, porque sólo poéticamente podría yo acercarme a una mujer que, como el sol mismo, escuece la frente, hace parpadear los ojos que se levantan hasta ella.

A la verdad no debo yo inquietarme demasiado por no poder hacer un completo retrato de la Reina Católica.

¿Quién puede decir que lo ha podido?

Los que fueron sus cronistas y sus pintores se esfuerzan en legarnos la memoria de sus hazañas, el justo temple de su espíritu, el color cierto de sus ojos... Pero tengo para mí que se han esforzado en vano.

Hay en ella algo imponderable que escapa a todo pincel y a toda pluma, a toda medida y a todo calado.

En lo que a la pintura se refiere, y también a la escultura, para empezar con los más concretos datos, que deben ser los plásticos, cúmpleme confesar que antes de comenzar este trabajo quise tener ante la vista las imágenes que conozco de Isabel de Castilla, buscando de ese modo inspiración a mi tarea.

Mas, los retratos nada me dijeron: una tabla del siglo XV nos la muestra nimbada la cabeza por un halo de llamas semejante al que circunda el disco del sol, el astro-dios, en los antiguos templos incaicos.

Sin duda algo de sol vio también el artista en ella, que le corona de fuego los cabellos. Otro más conocido la presenta con la cara plácida y regordeta de una señora de la burguesía de cualquier tiempo y de cualquier país.

Un tercer retrato intenta sorprender a la Reina en la austera intimidad de su hogar rezando con el marido y los hijos a los pies de María Santísima; este retablo de autor anónimo procede del convento de Santo Tomás de Ávila y es por cierto el que provoca grande entusiasmo en algunos de sus panegiristas, entusiasmo que con mucha pena mía no he podido compartir.

Allí Doña Isabel se hace en efecto de un rostro más humano, más gracioso que el que le han puesto otros pintores, pero por mucho que lo he mirado tengo que declarar que no he visto en él «los ojos que descubrieron a Colón y Cisneros». Aparte de que en un dibujo casi miniado como el que nos ocupa es difícil ver otras cosas, a menos que no se estén viendo fuera de él...

Me confirmo pues, en la idea de que ninguno de los retratos que nos ofrecen debe ser el acertado; al menos ninguno acierto yo a traspasar a mi corazón por más que bien dispuesto me lo traje. El del nimbo da a la Reina apariencia de madona renacentista, semidormida la mirada, idealizados los rasgos, ausente la expresión.

Y nada más lejos de esta forjadora de Estados que tuvo siempre muy abiertos los ojos, muy diligentes manos y cerebro, y extendió su presencia en la tierra más allá del horizonte conocido por sus contemporáneos.

Tampoco me parece bien el que nos la materializa demasiado, el que no nos deja ver en la carnosa faz de túrgidos carrillos, un solo chispazo del genio, un solo signo de su augusto poder, de su singular predestinación.

Equidistante de ambos pudiera situarse el de Santo Tomás de Ávila, mezcla de uno y de otro... Pero un retrato ecléctico no es nunca un buen retrato.

Si la Pintura no nos revela a Isabel la Católica, menos todavía logramos asirla en la Escultura; ¡qué tiene que ver con ella, esa mujer yacente y rígida de su sepulcro en Granada, ni esa hierática estatua orante de la Capilla de los Reyes!

¡Cómo adivinarla inmovilizada por los siglos, presa en el frío mármol sepulcral, como reconocer en esas piedras inertes a la que no estuvo quieta un solo instante de su vida, a la que volaba desde las Salas de los Consejos en gótica penumbra, hasta las fronteras de su reino que parecía ensanchar el sol mismo en su carrera; desde los campos de batalla donde se peleaba el porvenir de Europa, hasta la alcoba de sus hijas dormidas, aquellas cuatro infantas niñas, rubias como la madre y en cuyas cabecitas inocentes le cobrarían los hados algún día el tremendo precio de su gloria.

No... Ni la pintura, ni la Escultura y posiblemente ni la letra, con tanto que se ha escrito y por tan esclarecidas plumas, logran a juicio mío plasmar de una vez y para siempre su figura cabal, de cuerpo entero.

Y aunque este juicio mío, como mío resulta al fin intrascendente, servirá al menos para consolarme, pues si yo pienso que nadie atinó a copiar con certeza el magno modelo, no debo afligirme por no poder hacerlo yo.

Inútil fue por tanto mirar retratos reales con la vaga esperanza de hallar en su imagen física las huellas de una vida extraordinaria, porque el cuerpo humano también es noble y el suyo debería transparentar el alma... Inútil fue; en ninguna de sus efigies apareció la que buscaba, ninguna pudo auxiliarme en la tarea de desentrañar la de su propio resplandor. Fue entonces que me volví a lo que constituye quizás su mejor retrato: a su testamento, esa conmovedora expresión de última voluntad que al cabo de los siglos nadie puede leer sin emocionarse.

A través de sus páginas, como a través de una neblina invernal, alcanzamos a entrever las pardas torres del castillo de la Mota... Y es entonces cuando el retrato va surgiendo, cuajando en la cámara oscura que todos llevamos dentro.

Testamento de Isabel la Católica, castillo de la Mota, cielo gris donde comienzan a anillarse los primeros copos de nieve, una nieve pura no descendida al suelo todavía... Todo parece suspenso en este paisaje: la nieve a punto de caer, un vuelo de cigüeñas detenido en las vecinas espadañas, el castillo con las puertas abiertas y el puente levadizo descolgado... Todo permanece en actitud de espera, de impalpable, velada captación.

Penetramos por los desiertos umbrales, atravesamos largos corredores en silencio, y de pronto un murmullo de rezos, un rumor apagado de sollozos que quisieran ahogarse, nos detienen junto a una puerta entornada...

Tras esa puerta leve e inexorable se está muriendo la primera reina de España.

Yo no pondré las manos en esa puerta; yo no miraré por el resquicio que queda libre entre el marco y su borde.

No quiero ver su rostro empapado por los sudores de la agonía ni la mano que todavía sujeta el rosario, como había sujetado todo un mundo.

Yo no miraré a la Reina, pero el hilo de la Poesía como un hilo telegráfico vibra ya en el aire, deshoja en mi corazón la secreta flor de su mensaje.

Si nadie se me alarma, quisiera hacerme la ilusión de que la reina moribunda pensó en aquella isla lejana que llevaba el nombre de su hijo segado por la muerte en la flor de su edad.

Así como al Descubridor le era singularmente grata su Isla Española, para Isabel, aunque nunca lo haya dicho, aquella otra isla recostada en el mar con flexibilidad de adolescente tenía que estar unida a la memoria del hijo, aquel doncel llamado a fijar los altos destinos de la nación que ella fundara, aquel su varón único que le arrebató la muerte disfrazada de amor.

La isla Juana, así llamada para perpetuar las futuras glorias del príncipe heredero, debió aflorar entonces al igual que otras veces, melancólicamente, a su recuerdo, como un traje de novia muerta en las vísperas de sus bodas, como faro encendido para una nave que ya no llegaría nunca.

¿No era al fin aquel nombre erguido sobre el mar lo único que había quedado de su hijo? ¿Lo único que mantendría viva su memoria, con presencia en el tiempo y en el espacio?.

Los recuerdos de las penas vividas se agolpan en el instante supremo alentando junto a la ventana...

Cuando el florido vástago murió, todavía ella no lo creyó todo perdido; la esperanza tan dura de matar en su pecho, se la aferró entonces a una escurridiza princesa extranjera, aquella viuda de dieciocho años en cuyo pechos palpitaba ya la simiente del hijo.

¡Darle a España otro Príncipe Heredero, darle un varón fuerte que le protegiera del inglés cauteloso, del tudesco expansivo, del árabe todavía al acecho, del turco que ya avanzaba sigilosamente y del francés que se empinaba por encima de los Pirineos, a ver qué sucedía en su tierra tremante!

Y aún más que de los vecinos, había acaso que proteger la tierra de ella misma... De los bandos, de las facciones, de las querellas intestinas, de los rancios señores parapetados en sus almenas y sus privilegios...

Proteger a España, crear una conciencia nacional, sostener el país en la cima donde ella lo había puesto, ir ciñendo toda su tierra para que no se desintegrara un solo grano... Ceñirla, sí, ceñirla con toda la ternura y la plenitud de un abrazo...

Cuando le cruzaron las dos manos sobre el pecho, quién podría intentar este abrazo... Quién heredaría con su cetro el ancho corazón capaz de hacerlo...

Proteger a España... y acaso había ahora que protegerla –¡oh, Dios!– de su propia sangre. La sangre que en sus venas fue pura luz viva, se le ensombrecía en las venas de las hijas, se tornaba agua dulce en la infanta María, misantropía en la infanta Isabel, tozudez estéril en la impúber Catalina, locura en la mujer de Felipe el Hermoso.

A quién pudo extrañar entonces que ella se agarrara a aquella última esperanza, a aquel milagro todavía hacedero de devolver al Reino su infante redivivo.

Si el Príncipe Don Juan, parecido a ella, alegre, valeroso, inteligente, volviera a vivir en su hijo póstumo, España estaba salvada, España tendría su varón fuerte, su rey español, español como ella de los pies a la cabeza.

Sí, se olvidó de su dolor: por aquellas semanas que siguieron a la muerte del hijo, esperó ávidamente, dolorosa y gozosamente la venida del nieto.

Sí, Dios le debía esa reparación como ella se la debía a España. Todo sería esperar unos años más, todo sería como una devolución, como un error que se enmienda...

La importunaron las monsergas cortesanas, los atavíos dolientes en los que no quería ver malos presagios... El Príncipe español había partido como partía a menudo a sus cacerías, pero vendría, vendría otra vez convertido en la tierna criatura que no hacía poco más de tres lustros arrullaba ella todavía entre sus brazos.

El príncipe volvería; todos estaban esperándolo y más que todos ella, jadeante, alucinada, regateándoselo todavía a Dios...

Ella, reina en todo un mundo, preparó entonces con sus propias manos los delicados alimentos de la nuera... No hallaba cojín bastante blando para aquella cabeza aturdida, no había rosas en los vergeles de Granada bastante hermosas para serle ofrecidas.

La cuidaba como el Arca de la Alianza; la velaba como si dentro de ese vientre que no acababa de ensancharse estuviera guardada la felicidad del reino, la Promesa de Dios.

Pero también habría de renunciar a este sueño: de la princesa Margarita sólo vino un gazapo de hembra muerta, desprendida a destiempo... Sin tuétano en los huesos ni resplandor de alma en el almario, la nuera no pudo fabricar un salvador de España ni devolver lo que había tomado. Y así perdió Isabel dos veces a su hijo.

Si alguna vez en sus frecuentes exámenes de conciencia se encontró con que el corazón íntegro le había conocido, desde la altura en que moraba, un bajo sentimiento, un fermentar de alma parecido al odio, sin duda que fue entonces.

Jamás este corazón abrigó resentimientos; fue amiga leal y enemiga leal. Hecha toda a juntar, a cimentar, a construir, un sentimiento desintegrante como el rencor tenía que ser extraño a su naturaleza.

Sin embargo, tal vez por una sola vez en la vida, Isabel de Castilla haya odiado a alguien, y esa vez, si se dio en el mundo, debe haber sido para odiar a esta nuera.

Ella le roba el hijo mozo, el único y por único más amado y más necesitado. Pero no es sólo el hijo de Isabel quien quema su juventud y perece en los brazos de la sensual extranjera, es también el hijo de la Promesa, el hijo de la Patria, el hijo de España.

Esta intrusa ha robado a dos madres; y luego las ha engañado, les vuelve a robar la gran vida que prometieron a cambio de tan gran muerte.

Los biógrafos no se detendrán mucho en este pasaje de su vida que no es pasaje de su vida, sino de toda su tierra, y no es pasaje sino tragedia cuyo signo habría de estamparse para siempre en la nación que acaba de surgir vigorosa, fundida en bronce por sus manos firmes.

Los biógrafos no abundarán en detalles sobre este drama doméstico que era al mismo tiempo un drama nacional; pasarán sobre él ligeramente, deslumbrados todavía por los albores del Descubrimiento, por los últimos fuegos de las alcazabas moras incendiadas al paso de la Cruz y el Pendón...

El drama pequeño y grande de la mujer grande y pequeña, el drama íntimo que desgarró una por una todas las razones de su vida, ése apenas se nombra y se recuerda.

Es necesario, señores, es necesario el hilo sutilísimo de la Poesía para zurcirlo en sus girones perdidos...

Es necesario aquel hilo de oro que no era el de su realeza, aquel hilo luminoso que no era el de sus victorias, aquel hilo sencillo que no era el de su rueca, para mostrarlo alguna vez al mundo.

Mostrar a Isabel la Católica frente a la fuerza ciega y destructora; frente a la fatalidad encarnada por primera vez en la advenediza, la que ella, como nueva Noemí despojada de sus hijos, había querido asemejar a Ruth, proveedora de la sagrada estirpe y en lugar de Ruth le dan a Orfa...

Orfa se evade sigilosamente, furtivamente y la Reina queda sola, sola con un nombre que ya sería nada más que el nombre de una isla remota y desconocida.

La isla Juana... Más de una vez la buscó ella en los burdos mapas que dibujaban los cartógrafos de la época, abiertos sobre su mesa de trabajo.

Más de una vez, apoyada en la mano la barbilla y fugados los ojos por la ojival ventana, se había ido ella por un océano irreal en la seca meseta castellana, hacia esa isla en flor bautizada en el nombre del Padre y del Hijo... y el Espíritu...

Los recuerdos de las tristezas pasadas seguían aleteando junto a esa misma ventana.

Todavía la muerte –que la sirviera en los primeros tiempos con una fidelidad que casi le sobrecogía el corazón– le asestó al final el más cruel de sus golpes.

Desaparecidos el hijo, la esperanza de su fruto, la primogénita de la casa, de todo aquel derrumbamiento había quedado sin embargo una florecilla en pie, un nieto recién nacido, hijo de los reyes de Portugal, en quien vendrían a recaer también, andando el tiempo y a causa de tantas muertes, las coronas de Castilla y Aragón.

Alto precio pagó por esa endeble criatura: la vida de su hija más tierna, la que más le había amado y a quien sacrificó inflexible en impuesto desposorio por el bien de la patria, como ella también se hubiera sacrificado.

Ciertamente que ella, la reina de Castilla, había amado a su marido, pero aunque no lo hubiera amado, hubiera sido lo mismo. Poco sabía de él cuando se le unió en matrimonio, pero una cosa había que saber y ésa si la sabía bien...

Sabía que España era una península y que las tierras que formaban esta península deberían unirse. Si tal unión dependía de un anillo nupcial, los anillos nupciales serían armas y escudos en su mano... Por eso rechazó a los pretendientes de allende la barrera pirenaica, y por eso igualmente, sin apartar la vista de la Geografía, puesta a escoger entre el de Portugal y el de Aragón, escogió a este último, no porque fuera el más joven o el más guapo, sino porque encarnaba un picacho más en los Pirineos, porque le cerraba el paso al francés invasor...

Si hubiera podido adivinar cuántas tontas leyendas se tejerían luego sobre su matrimonio, qué sonrisa desdeñosa le hubiera subido allí mismo a los labios...

Convertir una decisión de alta política de sólo tener ante los ojos el supremo interés de la nación, en un idilio de novela rosa, en un episodio anodino sin altitud de miras, sin seriedad, sin contenido histórico...

Y siempre se quedó pensando en Portugal... Era parte de la península también. Ella no había puesto sus ambiciones, como Fernando, en otras tierras del continente ajenas a esta unidad geográfica.

El Descubrimiento trajo a sus plantas un mundo que realmente nadie había buscado y del que nadie tampoco se sintió contento.

Ésa fue también amargura a tragar a grandes sorbos...

En tanto, Portugal huía de ella; había huido hasta aquel instante en que de pronto un frágil principillo, por caprichos de la suerte, reunía en su cuna de encajes todos los reinos de la península.

En aquellos finales del siglo XV estuvo la Historia titubeando junto a esa cuna que velaba la abuela noche y día; estuvo a punto de cambiar su curso por un pequeño niño debilucho que un soplo de brisa podía apagar...

Pero en efecto lo apagó la brisa; el príncipe Miguel, jurado por las Cortes de Portugal, Castilla y Aragón, murió a los dos años, sin tiempo de enterarse del alto destino que le reservaba la Historia. Se levantó Isabel de su vigilia y apartándose de la cuna vacía se volvió de cara a la pared y ya no esperó más, sino la hora de morir ella también.

La hora de morir había llegado; pronto se iría a Dios caminando por un puente de sueños vivos y de sueños muertos. ¿Qué le quedaba por hacer? Despojada de hijos aptos, de nietos de Promisión, pensaba aún en los miles de nietos futuros de lo que ella presentía intuitivamente, contra las apariencias del momento, como la más grandiosa de sus empresas.

Había hecho ya su testamento, pero algo más había que prever; preciso era aprovechar el poco tiempo que restaba para añadirle un precioso codicilo, para encarecer a los que vinieran después de ella el cuidado, el amor, la protección de sus hijos de América...

Algo no andaba bien por allí; lejanos rumores habían llegado últimamente que le inquietaban todavía el espíritu en aquel trance y urgía acudir también a esto, proveerlo con aquella diligencia, aquella eficacia con que había sabido en la vida remediarlo todo.

Que nadie se olvidara que ella tenía el nombre de su hijo plantado allá lejos. Ese nombre no era un capricho ni una vanidad; era, si fuera necesario, una invocación.

Pero el Destino que da todo a la Reina, ha de negarle todo a la madre: hasta los mismos pequeños goces maternales que como justa compensación ofrece la naturaleza a la más vulgar de las mujeres, para ella han de ser fruta prohibida.

Y para que Isabel madre lo pierda todo, aun después de su muerte, también la Isla pierde el nombre del hijo. Nadie quiso llamar, a Cuba, Juana... El nombre indio venció al nombre español y creo que fue la primera vez que se dio tal victoria.

En el año que se cursa se han cumplido quinientos que vino al mundo esta mujer que casi nos parecería una increíble heroína de leyenda, un maravilloso mito de la fantasía, si no estuviera presente la obra de sus manos, patente su presencia en ella, en pie lo que cimentó, labró y alzó.

La obra de Isabel, la debida exclusivamente a su aliento, con los errores que haya tenido –que toda obra humana los tiene–, ha quedado. La de otros, y en parte la impulsada por el compañero de sus glorias, o por el azar de las herencias o por las materiales ambiciones, se ha ido desmoronando en el tiempo. Y es que sólo lo fundamental, lo creado con espíritu y por el espíritu, permanece. Lo demás va y viene con el viento...

Y yo que debería haber echado las campanas al vuelo por su nacer gozoso, sólo he sabido rumiar los patéticos instantes de su tránsito.

Y es que yo hasta ahora no me he atrevido a tocarla más que con los dedos de la Poesía, y la Poesía se vuelve siempre hacia el imán oscuro de la muerte.

El castillo de la Mota, Medina del Campo, noviembre de hojas secas, rondan más cerca el pensamiento poético que abril en flor y Madrigal de las Altas Torres con sus plazuelas soleadas.

Así también lo ha de rondar más cerca que sus conquistas guerreras y sus proezas inmortales, el codicilo de esa hora, el enternecimiento de la soberana por los indios que graba en mármol el testamento isabelino.

Pero después de todo no es su nacimiento ni su muerte lo que debe mover a meditación en este año del medio milenio de su vida. Es su vida misma, su vida toda donde tanto tiene que estudiar el que toma en sus manos las riendas de una nación en cualquier meridiano del mundo.

Isabel la Católica es flor de las que no se dan siquiera una por siglo. Pero la buena voluntad es flor de todos los días, y es también una gran fuerza capaz de suplir a veces lo que retarda Dios por otro lado.

En ella no hubo nada que suplir porque Isabel de Castilla es la elegida del destino. Y así vemos cómo el mismo destino no la quiso para madre de hijos, sino para madre de pueblos.

Hay criaturas de elección que una fuerza desconocida, una voluntad sobrenatural e imperiosa, en un momento dado desplaza misteriosamente de su órbita, saca de donde estén y las echa a pelear en guerra.

Sucede esto en los instantes decisivos de la historia de un país o de la historia de la humanidad.

Surge entonces la criatura electa como en un salto de levitación.

... Casi no sabemos de donde viene ni como hemos de recibirla... Pero ella está allí en su puesto, lista para su empresa, hasta impaciente...

Más de una vez esta criatura ha sido una mujer.

Mujer fue Judith, la viuda, que cuando los ejércitos de su país, sitiados por tropas que los triplicaban en número, se disponían a rendirlo al invasor, sale de su casa cerrada durante años, cambia las tocas luctuosas por las galas de la juventud y sola, sin más compañía que la de una anciana sirvienta, atraviesa el cerco enemigo, entra en el campamento de Holofernes y con su propia espada le corta la cabeza que había acabado de besar...

Y se salvó Getulia, y las trompetas del pueblo liberado atronaban los espacios, mientras Judith en su casa, vuelta a cerrar, vestía de nuevo sus tocas de viuda, se sumergía otra vez y para siempre, en su silencio y en su soledad.

Así también, cuando Francia está perdida, se abre paso entre sus corderos, pasó entre los soldados, pasó entre los generales hasta el rey, la Doncella de Orleans con la espada del Milagro en la mano, la espada que ni siquiera necesitaba derramar sangre para poner en fuga al enemigo.

Servido ya el Destino, éste desecha o rompe sus instrumentos. Es también ley misteriosa que así sea, que ni muerte ni vida de nadie sean más importantes que la obra misma.

Viuda la una, doncella la otra, casada Isabel la Católica es asimismo una hija del Destino, una criatura señalada por el Señor para dar cumplimiento a sus designios. Es esa voluntad superior la que lo decide, es esa elección la que lo hace.

Isabel I no debería ser lógicamente reina de Castilla; y acaso no lo era legalmente, en estricta ortodoxia formalista.

Algunos historiadores así lo han apuntado, y, que yo recuerde, en los últimos tiempos el notable investigador y ensayista Oreste Ferrara intenta probarlo con acopio de pergaminos y argumentos. Por otra parte, sabida es toda la controversia que suscitara esta cuestión desde antes del advenimiento al trono de la andariega soberana.

Tampoco creo que sea necesario rebajar como pretenden algunos la figura de la Beltraneja para hacer valer los méritos de la triunfadora Isabel.

Los fariseos que así ligeramente atribuyen a una infanta española en desgracia mezquinas ambiciones, ignoran o afectan ignorar que nada menos que el mismo Fernando el Católico, ya viudo, solicitó la mano de esta princesa y que fue ella quien se la negó con auténtica majestad.

Creo, por el contrario, que en esta lucha apasionante de las dos mujeres, la desdichada cuanto altiva hija de Juana de Portugal fue digna adversaria de la Reina, y si el destino eligió a esa última fue precisamente porque tenía que ser Isabel y no otra la que cumpliera su misión.

Y sea cualquiera cosa lo que haya de cierto en el asunto, el caso es que si las pruebas del viejo pleito que todavía se viene discutiendo, le fueran en definitiva adversas a la que venció en el mismo, aún se vería más claro su destino de elegida, su condición de iluminada.

Saúl no fue nunca príncipe heredero, pero puede decirse que el mismo Jehová ungió su frente.

Mas prescindiendo del consensus legal, tenemos antes un cúmulo de circunstancias que previamente habrían de ser superadas para que se produjera el buen suceso.

Isabel es sólo una medio hermana del rey legítimo y este rey casa dos veces.

Es necesario que no traiga descendencia del primer matrimonio, como no la trae, y que tampoco la trajera del segundo.

Pero del segundo o, en el segundo, nace una niña y entonces es necesario que esta descendencia desaparezca de algún modo; la muerte sería lo más sencillo, mas la pequeña Juana —¡Juana ya desde entonces!— no se quiere morir y, no pudiéndose contar con su muerte, se cuenta con su nacimiento, es decir, se hace como si no hubiera nacido. Juana es hija adulterina y por tanto la descendencia del rey no es tal descendencia, es nula a los efectos de sucederle en los derechos al trono.

Hecha esta suposición con las razones o sinrazones que hubiere, y hasta aceptada por el pueblo, no están sin embargo atados todos los cabos por el Destino.

Por otra parte, el rey a su vez tampoco es viejo y puede aún intentar un tercer matrimonio que le diera vástago menos discutido.

Pero el rey es filósofo; no se siente con ánimo para tantas cosas y prefiere irse a luchar con las fieras de sus bosques mejor que con los ministros de su corte.

A pesar de ello, y todavía lográndose todos los ajustes de este complicado engranaje, Isabel no puede aspirar a la corona; antes que ella estaban dos hermanos varones. Uno que debe haber desaparecido muy niño, pues sólo un relato lo registra, y otro el que la ha acompañado en su fecunda soledad de Arévalo, el infante D. Alfonso, mancebo de catorce años que muchos tienen ya por rey, y en cuya adolescencia están puestos todos los ojos y todas las esperanzas...

Alfonso es un muchacho encantador que empieza a fijarse en las mocitas de Segovia... Un poco más y ya estará casado, porque los príncipes se casan siempre jóvenes para asegurarse su linaje.

Pero Alfonso tampoco asegurará el suyo. Alfonso no se casará. Alfonso no mirará más desde las ventanas del Alcázar a las mozuelas que iban rumbo a la fuente con el cántaro al hombro en las tranquilas tardes segovianas...

Alfonso está muerto. Muerto a los catorce años, clavado al terciopelo de su sarcófago como una mariposa atrapada en el primer vuelo...

Alfonso está muerto e Isabel es ya la princesa Heredera de un solio que muy pronto otra muerte –la única que faltaba, la del rey mismo– se lo dejará libre sin que ella tenga que mover un dedo.

¿Hizo entonces como haría después su homónima la de Inglaterra, que en trance semejante se postró en tierra clamando: «Señor, Señor, tus juicios son inescrutables y se cumplen»?

No lo sabemos. Debemos, sí, saber que no se alegró ni se lamentó. Los que tienen una misión que cumplir suelen saberlo de antemano y todas las potencias de su alma sólo están puestas en cumplir lo encomendado.

No podía ser reina de Castilla, y lo fue de Castilla, de Aragón y de España. Hasta lo fue de todo un continente.

Lo que para otros puede parecer asombroso, para ella no lo fue. No se sorprendió de ser reina, no se apresuró, ni se deslumbró, ni se fatigó jamás de serlo.

Aceptó la alta investidura que aparentemente le ofrecía el azar como las flores aceptan el rocío, como la noche acepta el amanecer. Todo era natural, todo era claro y sencillo para ella y fue reina desde el principio hasta el fin.

Pero algo más tengo que decir sobre ella, y decirlo bien claro; y es que habiendo sido la más empeñada en la empresa del Descubrimiento, fue también la que menos pensó en el oro de la legendaria tierra.

No la deslumbró la corona y no la deslumbró el oro real o fabuloso. Del Nuevo Mundo que latía a sus pies, arrancado duramente al Mar Ignotus, sólo la preocupaban las almas...

Poner orden en ellas, devolverles la paz, llevarles el idioma sonoro ya como campana recién fundida, hacerles partícipes en la Promesa de Jesucristo, fue su último gran sueño... Y en él se quedó soñando todavía en el castillo de la Mota, mientras los primeros capullos de nieve temprana le mecían un mar frente a los ojos, un gran mar imposible por el ventanal abierto...

Envío:

Por todo lo que se te dio y no se te dio
por todo lo que ganaste y perdiste,
porque fuiste madre sin hijos y madre
de España y aún quisiste también ser madre
de nuestra América, Dios te salve Isabel Fundadora.

(26 de septiembre de 1951)

BIBLIOTECA DE AMÉRICA, 3

Ediciones Universidad
Salamanca

ISBN 84-7481-749-8

9 788474 817492